記憶のかなたの全共闘運動

総括いまだならず

西成田 進

記憶のかなたの全共闘運動　総括いまだならず

〈目次〉

記憶のかなたの全共闘運動
総括いまだならず

1 医学部入学

私の医学部入学は昭和41年（1966）であった。合格の歓びというよりは、それまでの過酷な受験勉強からの“解放感”のほうが強いというのが正直な印象であった。

都内の叔母の家に下宿し、そこから大学に通った。土地勘の出てきている今なら、自転車で裏道を行けば30～40分程度の距離であるが、当時はどういうわけか、学生の大学への自転車通学が一般的ではなく、本当にどうしてだろうか、バスか電車で三角形の2辺を乗り継ぐような、より時間のかかる方法で通学していた。

当時、登校時間の電車はまさに「ラッシュアワー　」であった。最寄りの私鉄の駅は「押し屋」と呼ばれる専門の職員がいて、電車のドアはすでに閉じられているのに体半分、尻半分入りきれない乗客を力まかせに、時には体当たりで無理やり車内へ押し込んでいた。若い女性客であろうが遠慮はなかった。腹を立てた乗客の一部がそのまま駅員を抱え込み、一駅先まで“同行”したのを見たことがある。

「痴漢」は目立たなかった。それとも痴漢するほど車内空間の自由度がなかったのだろうか。バスは時刻通りには来ず、ときどき明らかな間引き運転もあったが、それでもあまりクレームをつける乗客はいなかった。

当時、私鉄・山手線（国鉄）の賃上げ闘争、とくに「春闘」などの賃上げ闘争は社会党・総評（日本労働組合総評議会）の指導のもとで、戦術としての交通機関のストライキは「年中行事」と化しており、電車を降りてもなお、途中駅の池袋地下通路は乗り換え客でごった返し、身動きのとれないほどの混雑を定期的に経験することになった。それでも駅員に罵声を浴びせるものはおらず、自分たちも属する会社の組合活動の中では同様の戦術をとっていることをお互いに承知、理解していたようだった。

この種の賃上げ・要求獲得運動もまた貧困を背景にして、そこから脱出するための「社会正義」の一つの形であると思われていたし、労働者に怒りをぶつける「市民」なるものは存在していなかった。

2 医学部生活のはじまり

医学部の教養課程の最初の1年、「医学」に特化した授業はほとんどなく、英語・ドイツ語・数学・法学など、まさに一般教養科目だけであった。それに相互に何の脈絡のない物理・化学……。どの講師も、現在のように授業目標（シラバス）を立てることもなく、自分の専門領域を黙々と語るだけで、学生の知的好奇心を満足させるどころか、学生に何かを伝達しようとする意欲はつゆほども見られなかった。

ある有名企業の研究所を退職した化学の先生は、講義台の上に置かれた「コップ酒」をチビチビ飲みながら、黙々と化学構造式を黒板に書いていた。またある法学担当の教授は、自分の著書を断片的かつ一方的に読み上げ、その部分がのちに法学の試験のヤマになるところであった。コピー機のなかった時代、私たちはその長たらしい法律用語の並んだ分厚い本を買うしか丸暗記の方法がなく、地下の購買部には参考図書としてちゃんと講師のその本が積まれていた。けっこう高額であった。ついでに、二度と開くことのなかった『六法全書』も買わされたことだった。

多くの友人は何らかの体育会系クラブに属し、余暇だらけの時間をつぶしていた。当時、日本大学各学部のキャンパスは都内、一部は他県に散らばって存在し、医学部だけではなく、各学部はそれぞれ「単科大学」のような雰囲気であった。体育会系のクラブも、医学部においては受験勉強を通り過ぎてきた学生たちの趣味のサークル活動のような感じのところが多かった。

私はといえば、そもそも得意な運動があるわけでもなく、元来チームプレーなるものがあまり好きではなかったこともあり、つまらないとは思いながらも、授業には比較的まじめに出ていた。土曜日の午後は、ときどき地下鉄丸ノ内線の茗荷谷駅のそばにあったT君の家で囲碁を打ち、また当時池袋近辺にあった映画館で時間をつぶし、連休があればひとり関東近辺の“フラリ一人旅”を繰り返していた。

本屋めぐりと読書、友人にクラシックマニアというよりはオーディオマニアが多かったせいもあり、レコード店巡りやクラシック音楽鑑賞など、典型的文科系学生であった。ステレオの「パイオニアセントレートV1」を買ったのはその後、学生運動が始まる直前のことであったと思う。

上野の文化会館にもだいぶ通った。若杉弘の振る「読売日本交響楽団」の定期・臨時の演奏会、渡邉暁雄の「日本フィルハーモニー交響楽団」などであった。岩城宏之の「NHK交響楽団」は人気で、定期も臨時もなかなかチケットが取れなかった。ただ、演奏会が終わったあとの上野駅の乗車券購入時の混雑は、優雅な余韻をすべて台無しにしていた。今となっては懐かしいが、当時の日本の文化的未成熟を反映していた。

3 聞こえてくる黒い便り

私が医学生として何の取り柄もないまま趣味の生活をだらだら続けているこの時期、日本大学の他学部ではいわゆる体育会系学生による自治会組織、文化系サークル、政治・思想的な講演会などに対する暴力的介入がすでに散発していた。だが、遠く離れた単科医科大学ともいえる「日大医学部」では、その実態はまさに「風の便り」として伝わってくるだけであった。

昭和30年代の後半、「安保闘争」（日米安全保障条約改定反対闘争）の前後から、日大各学部では学園祭における特定の講師の講演不許可、学生による企画運営に対する大学の指導が横行し始めていた。また多くの学部では、学生自治会に対する応援団や体育会系学生による恫喝、自治会活動への妨害がかなり日常化していた。そして、これらの体育会系学生による活動は明らかに学部当局の黙認の下でなされていた。

大学は、学生の政治活動を認めず、学内での集会・掲示・出版物などはすべて大学当局の許可を事前に得るように求めていた。学生心得中の「学則31条」による「出版物・掲示・集会」の届け出制は、実際には管理上の届け出の域をはるかに超えて、その運用は明らかに「内容検閲」になっていたのである。

これらの「思想統制」とでもいうべき圧力は、各学部での自治会活動に対する体育会系学生・応援団による暴行事件、学園祭・新入生歓迎会における暴力的介入を正当化し、さらには特定の教職員に対する大学当局による辞職の強要・暴行にまで及んでいた。「学則は憲法に優先する」という問題レベルの実態であった。

確かに世の中は動いていた。アメリカ軍による北ベトナム（ベトナム民主共和国）への爆撃、それに反対するべ平連*1の活動、中国では「文化大革命」*2の進行（新聞をいくら読んでも誰が主導し、誰が敵であるのかが理解できない混乱)、「成田闘争」*3の激化、国鉄労働者を中心とした公共交通機関のストライキ戦術の頻発。そして大学では、早稲田大学での「学費値上げ闘争」*4でのバリケードストライキが起きていた。

国内でも海外でも、一歩大学の外に出て見ればあらゆるところに矛盾が噴出し、人々の中に大きな「闘い」が生じていた。何かこの社会の状況はおかしい。不正、不条理、虚偽があちこちに転がっている。どこかでこの社会的な問題は学内での不正・不条理とつながっている……。熱中すべき医学・学問が不在の中で、趣味の世界で遊んでいるだけの生活には安住できずにいる人間に、この外の世界の“風”の侵入は防ぎきれないでいた。

4 黒い風の便りとよどんだ空気

静かなのは医学部のキャンパスの中だけであった。外の世界の出来事に目をつぶっていれば何事のこともない。医学部の中に閉じこもっていれば何か具体的な抑圧が眼前にあったわけでもない。しかし、学内の雰囲気は何となく重苦しい。語るべき何かが抑えられている。どこかで思考を停止させられている感じがする。医学部にあって天真爛漫、ぬるま湯に浸り、ただ医師になっていくのはどこかおかしい……。そんな想念が、当時いつも頭の中で渦巻いていた。

目をちょっと外に向ければ語るべき“何か”がたくさんあるのに、それを口に出す場所が大学にはない。ほんの少しだけ大学内の他の学部に目をやれば、そこには「暴力」によって言葉が押し込められている学部があるらしい。体育会系学生・応援団による暴行・暴力事件は、キャンパスの場所が違っていても聞こえてくる。そしてその体育会による暴力は、どうみても大学当局公認のようなのだ。

医学部の中にも何か政治や思想を語るにはばかられる雰囲気だけは確かに漂っていた。学生が発行するビラや印刷物はすべて事務で「検印」を受けねばならない（いちいちうるせえなぁ）。すべて学生の活動に関する張り紙・出版物には事務の目を通すことが必要なようであった。その背後には常に「学生指導担当」の教授が目を光らせていた。実際に掲載・掲示が不許可になった事例があるわけではない。ただ「検閲」に引っかかるほど先進的・過激な文書を書く学生はいなかった。

しかし、なんかおかしい。息苦しいのだ。「学則31条」というのがあって、すべての出版・発行物・発表は大学・医学部のチェックが必要であるという。「検閲ではなかろうか、とにかくめんどうくさい」……。ただ幸いなことに、これまで医学部当局が「ノー」という内容の出版物を学生たちが持参しなかっただけなのだ。「もの言わぬ子羊」であれば何の問題もなかったのだ。国の内外、大学の内部が騒然としているにもかかわらず、語るべき内容が政治や社会の在り方に及ぶと、それがどうもタブーのようなのだ。麻雀、クラブ活動、他愛のない会話だけの学生生活……。それだけが強いられている感じがしていた。

それでいて、医学・科学に対する知的好奇心を満足させてくれるような授業もほとんどなかった。大学の授業は定員オーバーで、教室に入りきれない学生たちであふれ、教室は「家畜小屋」に近い状態を呈していた（せめて学生の数の椅子と机を用意してくれ）。

クラス代表が教務課に文句を言いに行けば、「5月の連休が過ぎれば学生は自然に出てこなくなるので、そのうち空きますよ」……。じつに正しい状況認識であった。5月の末になると、確かに学生たちはほとんどの授業に出てこなくなった。

授業は行くところのない学生と、商店街のパチンコ店でその日のお小遣いを使い切った者などが教室に戻ってたむろするところに変わっていた。映画雑誌を見る者、紙将棋をする者……。それに注意するでもなく、ただただしゃべりまくって消えていく講師たち。思えばたしかに良い時代ではあった。「出席カード」を事務からだまし取って、友人の名前を記載して提出する「代返屋」が学生たちの虚偽の心を増幅していった。
休講・休講、ときどき授業という教養課程の先生がた。自分の高額な著書を学生に購入させ、それを読み上げるだけの授業。そして、その一部・断片を丸暗記させる試験問題。教壇の上にアルコールの香りがする液体を置き、チビリチビリとなめながら黒板に黙々と反応式を書き続ける化学の教授……。そうしたなかで、教務課事務職員が「出欠」のカードを配って家畜の数を確認したあと、多くの学生は教室後部のドアから逃げ出して行った。大半の学生が逃げ出したあと、人口密度が少なくなった教室で「時給いくら」の一人話を続ける講師たち……。いまでも学生時代の一番の思い出は授業ではなく、「クラブ活動」と答える医師たちのなんと多いことか。
確かに何の知的興味を起こさせない講義を黙々と耐え忍んで聞くより、外の世界のほうがよほど有益ではあったが、一応「大学」なるものに期待をもって、それも、それなりに激しい受験戦争をくぐりぬけてきた者には、とりあえず拍子抜け、失望、そしてやがてはやり場のない怒りの感情が湧きあがってくるのは時間の問題であった。
さほど勉強が好きというわけではなかったにせよ、せめて医学部らしい「生命現象」の面白さを教える教員の一人や二人いたってよいのではないか。なんかおかしい。クラブ活動も遊びも、それはそれでよい。しかし、肝心の学問の場が存在しない。「学問」を提供してくれる教員がいないのだ。大学の教養課程の「教養」とはいったい何であろうか？
医学部の場合、2年生後期の解剖実習に入るまでは、ただ緩やかな空間にただよって時間をつぶすだけの、予科ならぬ“余暇”生活であった。もっとも、昨今の学生たちの学生時代の一番の思い出は「就職活動」とのことであるから、さほど当時も今も大学の内容は変わっていないかもしれない。今では集団生活や他人との接触を嫌がる若者が増えたためか、4人1組のゲーム、「麻雀屋」は大学近辺から消え失せ、もっぱら一人インターネットの世界に浸っているのかもしれない。

問題は大学当局の基本的な「経営方針」にあった。時代に遅れた大学、専門教育を欠如した大学、知識人育成の役割を担いきれない大学ということではなく、そもそも大学自体がそのような戦略を積極的に取り、「もの言わぬ子羊」と「怠惰な人間」の育成という戦略を立てていたのである。そして、子羊たちを乗せたベルトコンベアはそれまで計画どおり機能していたのである。すでに戦後20年も経っていた。

夏休み前の7月に入ると、あの満杯の教室の学生はさらに少なくなり、帰省しそびれた学生、出席日数の不足した学生と、休講のし過ぎでアルバイト料を稼げなかった講師陣の利害関係が一致して、お互い黙々と集中授業で時間数をこなしていた。

時代は戦後の復興期を経過して、日本の社会は豊かで右肩上がりの経済成長を示していた。もの言わぬ医師のみならず、どの学部においても労働力として知的実態のない「大学卒」はいくらでも必要とされていた。名目だけの大学、名目だけの授業を介して、もの言わぬ社会人の排出が要請されていたのである。この“もの言わぬ”どころか、脳の完全思考停止の集団を、ある経済官僚上がりの作家は「団塊の世代」*5と呼んだ。

5「空気」という重い抑圧

すべての学生たちがそうした状況に何も感じなかったわけではない。医学部の現状に対する不満や新聞をにぎわす当時の社会・政治状況について、学内外で話題にすることは少なくはなかった（飲み屋で、というよりは、当時は喫茶店でコーヒー1杯を前に）。

大学は、そうした批判的な言動が学内で具体的な学生の言動として現れることを監視・抑制するために、学則の中に「検閲」に相当する条項を潜ませていた。抑圧の手段は、まず「自由な発言や印刷物の発行を許さない」という学内規制・規約（学則）であった。そうした学内の規則は、いまでいう「忖度」「自主規制」を前提にしているのであるが、その規制は他学部においては時として応援団および体育会系組織による直接的な暴力、破壊行動によって具体化されていた。そしてその暴力的な規制は、大学理事会を軸とする大学管理組織の直接・間接の同意と指示・命令によるものであった。

そのような管理・支配体制こそが、学問的内容や知の探究を無視して、極端な「マスプロ教育」（大量詰め込み授業）を順調に運用するための手段であり、商品としての多数の学生をベルトコンベアで滞りなく運び出すのに必要な手段であった。ベルトコンベアの上の“子羊”たちは自主性をもって語り、自由に動き回ってはならないのであった。

医学部の「教養課程」と呼ばれる最初の1年は、世田谷にある文理学部校舎で授業が行なわれていた。この世田谷校舎での教養課程の授業は、私たちの学年（昭和41年入学）からは変更され、医学部キャンパスのある板橋校舎へ移された。

この文理学部校舎には、いわゆる「体育会系学生」が跋扈していた。上級生からは、学ランの襟が止まっていなかったり、詰襟のボタンが外れていると、脅迫まがいの生活指導や厳しい言葉による注意・言動が横行して、あたかもキャンパス内はヤクザの“シマ”であるかのように体育会系学生が管理しているとのことだった。

彼ら先輩からは、「とにかく文理学部校舎から早く解放されたかった」という話をよく聞かされた。もっとも、「医学部の学生さんには手を付けるな」という体育会系学生の暗黙の申し送りがあったらしく、わが先輩たちが直接かれらの餌食になった話は聞かなかった。

体育会系学生については一つだけ、それもかなり自分の「こころの傷」になった体験がある。それはまさに「入学式」の当日のことであった。旧両国国技館で行なわれた全学部の入学式への参加の途中、両国駅から会場までの道のり（当時、日大講堂は旧両国国技館を買収して使っていた）、両側に並んだガタイの大きい学ランを着た、明らかに体育会系学生であろう数人に、入学式会場の入り口への通路を閉ざすように囲まれたのである。行き場をふさがれ、“半ば”というよりは、ほぼ完全に無言の脅迫状態で学生帽の「徽章」（校章）を500円で買わされたのである。衆人監視の中であったが、差し出された徽章を購入することなしにそこから脱出することは不可能であった。

このときの恐怖感は、田舎から“ぽっと出”の学生には確かに最初の一撃であった。のちに、クラスメートにこのことを話したところ、「おまえバカだなぁ、全学の入学式に行ったのか。そんなことは有名な話じゃないか」……。押し売りに押し切られたというよりは、無言の「脅迫」に耐えられず金を差し出してしまった自分の弱さに対する嫌悪感はいまでも思い出すたびに蘇ってくる。

のちに全共闘運動が始まり、文理・法学・経済学部などの学生たちを中心とする運動の基本的なモチベーションが、この体育会系学生による暴力・抑圧に端を発したものであることを理解したときの彼らに対するシンパシーの原点は、実はこの入学式時の個人的体験にあるのではないかとさえ思っている。いまにして思えば、体育会系学生は良き人生の反面教師であった。

最初の1年に刷り込まれた医学部、母校の印象はそのようなものであった。そして多くの先輩たちもまた、この学内では純然たる医学の話とクラブ活動、そしてあたり障りのない与太話だけが許されるというような伝統が形成されていったように思われる。

首を縮めていれば何ごともない空間であった。社会もまたそのようなムダロをたたかない学生を求めていたし、その範囲においてはぬるい、居心地のよい医学部キャンパスであることは間違いなかった。「空気」……。この場合「雰囲気」といってもよいし、あるいは「伝統」といってもよい。どこにも検閲として運用実態のない「学則31条」を除けば、医学部キャンパスに成文化された規則があったわけではない。しかし、どこかに人びとの言動や行動を拘束し、どこかで組織や制度の大きな枠組みから逸脱しないような“暗黙の了承”のようなものが漂っていたのは間違いない。

この時代、ここから逸脱することは今でいう「KY 」（空気が読めない）であった。昨今のゆとり教育の是非、英語教育の早期導入の是非を議論しているようなとき、幼稚園の園児に「教育勅語」を丸暗記させて、人前で絶唱させるような教育者が平成・令和の世になってもまだ生存している。まさに「KY」であろう。しかし、当のその組織にとって一度完成された空気を浄化することは難しい。どんなに努力してもその空気の外に出ることは難しい。

「見ざる、言わざる、聞かざる」という同級生のエッセイがある。自分たちが属する母校「日本大学」の名に、どれだけの人間が誇りを持っているのか。「ポンダイ」と称されることの屈辱、その汚名を晴らそうとしない大学当局。徹夜マージャンで授業欠席、クラブ合宿で欠席続きの学生には寛大な教員が、ほんのわずかの学園批判、ほんのわずかのデモンストレーションにも血相を変え、実力でそれを阻止してしまう。そうした大学への疑問と学生たちの自尊心のなさという問題を、「愛校心」に満ちた言葉で書き連ねたものである。昭和42年（1967）、日大闘争が始まる前のことである。著者は、いまは亡き「井村和清」（1979年1月、骨肉腫のため死亡）。私とは入学時の同級生であり、『飛鳥へ、そしてまだ見ぬ子へ』*6（祥伝社、1980）の著者である。

この小文は、当時の医学部学生会雑誌に投稿されたが、時の学生委員会によって理由不明のまま「没稿」とされた。「空気」

とはこのようなことを言っている。このような空気が「リベラル」といわれる医学部にも蔓延していたのである。

正直なところ、「学則31条」という検閲制度でチェックを受けるほど思想的に過激なビラや著書を発行した者はいないし、意思表示として大学・学部の在り方に反対行動が組織されたこともない。にもかかわらず、このような自主規制の空気が医学部の中にも蔓延していたのである。

不満を発することだけではなく、不満を感じることさえも許されない、実に息苦しい空気……。もちろん体育会系学生という「暴力装置」を手中に収めているいくつかの他学部においては、この息苦しい空気は、しばしば具体的な暴力を前提にした「指導」や「規制」であった。

日本大学の歴史を見ればこのことは歴然としている。ストライキ突入後の多くの学部におけるこの種の暴力の発動も明らかである。大なり小なり、この種の「空気」はバラバラに点在する日大すべての学部に共通する空気の“匂い”であった。

医学部のみならず、日大のどの学部においても現場の状況は同じであり、学生たちの鬱々とした心理状態は同じものであった。いや、おそらくこの時代、日本中の大学生が心の底で同じような“圧迫感”を感じていたのではなかろうか。全共闘運動の基本的な要因はこのあたりにあり、思想・信条的な理由などありはしなかった。天真爛漫に遊びとヒマに徹しきれず、思考停止に陥ることもできない多くの学生たちは、自分の在り方、自分を取り巻く環境に何か小さなキッカケがありさえすれば、それは「反発」と「怒り」に転化するのは自明なことであった。

6 時代

昭和40年（1965）初頭――。この時代、確かに社会に貧困はカゲを潜め、人びとは豊かな生活を謳歌し始めていた。カラーテレビ・洗濯機・冷蔵庫などの電化製品は各家庭の中に行きわたり、消費社会の恩恵は確実に人びとの生活の中に浸透していった。

国内では「55年体制」と呼ばれる左右両陣営による政治的対立が続いていた。一方、政治的には「60年安保闘争」が終焉し、知識人の多くはいまだ挫折の中にあり、また政治に対する不信と失望は色濃く残ってはいたが、社会の底辺に存在する基本的な道徳観や倫理の優位性のようなものは、まだどこかに残っている時代であった。そんな中で人びとの生活はかつての戦前、あるいは戦後の「貧困」を前提とすれば、間違いなく良い方向に向いていた。

私が大学に在った数年の間、労働者はさらなる賃金の値上げを求めて毎年「春闘」と称するストライキを打ち、とくに国鉄（国労・動労）などの組合による闘争ではしばしば交通機関がマヒし、そのつどキーステーションは通勤・通学できない人びとであふれた。工場労働者もまた賃上げ・待遇改善のためのストライキを行なっていた。ストが長引けばそれは「争議」と呼ばれていた。社会の基本的な政治理念の中にはどこか資本家と労働者、搾取するものと搾取されるものというマルクス主義的な構造を前提にした対立があり、労働者の賃上げ闘争は経済闘争を軸にした当時の自民党と社会党・共産党の政治的代理戦争の様相を呈していた。

日経連・経団連を中心とする雇用者側団体は、政治的には自民党を背景に労働者の賃上げ要求をコントロールし、労働者は総評を窓口にして、社会党・共産党をバックに政党の政治的要求団体として行動し、両者は多くの局面で対立していた。

経済活動の中で搾取するものと搾取されるものとの対立は、強者と弱者という立場を越えて、前者の「不正」と後者の「正義」という図式をつくり上げ、そしてそれはまた国際的な「政治的対立」（反米・反安保と親ソ・親中）に先鋭化していったようにも思われる。

政治的なスローガンの対立とは別に、現実には企業の利益は消費者である労働者の消費能力に依拠していることを見ぬいた雇用者側は、搾取の中から適度な“おすそ分け”を労働者に配分・還元する。そして労働者は勝ち得た賃金で自ら生産した商品を購入し、それが企業の生産性を高めるという悪性サイクルならぬ、良性サイクルを完成させていったのである。

「貧困」という機動力に強力に後押しされ、親たちの世代は「豊かさ」に向かって必死であった。個人のみならず、社会全体が経済的な繁栄を求めて回転していた。時の総理大臣・池田勇人は「所得倍増計画」*7を打ち出し、貧困を前提としていた人々、庶民がいつの間にか「中産階級」と呼ばれるような購買力をもつ集団に変化し、日本は“雪だるま式”の消費社会へ突入することになる。そして、生存の基本である「おいしい水」と「きれいな空気」が商品として価格を付けて売り出される社会に至り、日本において資本主義はあらゆる国家社会主義経済体制を凌駕して、その理想を完成させたのである（吉本隆明）。政治の場で使われていた「人民」「大衆」という理念的呼称はいつの間にか消え去り、無味無臭の「国民」にとって代わられた。日本における豊かな社会の成就は、政治理念を背景にした対立を緩める一方で、人々の間で個人的、社会的な規範に対する拘束もまた緩んでいく時代であったかもしれない。

この時期、世界中の多くの社会主義政権はいまだ完全に崩壊していなかったが、ほとんどの社会主義国家の内部で、政治的腐敗は確実に進行していた。そして、その政治的・社会的な政策の失敗のみならず、多くの社会主義国家では経済体制の破綻もまた明らかになりつつあった。

7 インターン闘争

全国的な学生運動・政治運動とは別に、医学部ではこの時期「インターン闘争」と呼ばれる全国的な学生運動が起こっており、そしてそれが終焉を迎えようとしていた。

当時、医学部の6年間を終了し卒業すると、いわゆる「インターン」と呼ばれる臨床研修の期間に入ることになっていた。医学部6年間での勉強は「ポリクリ」*8と呼ばれる限られた期間の臨床実習を除けば、大部分の勉強は「座学」と呼ばれる、いわゆる教科書上の勉強・講義であり、学生たちは実際の臨床家としてほとんど役に立たない状態で卒業してゆかざるを得なかった。そのため医学部6年を終えた学生たちの多くは母校の大学病院で、一部は自分で応募した厚生省による臨床研修指定病院で、次の1年を「臨床研修」のために費やすことになっていた。

実際の臨床は患者さんを診察し、診断・治療することによって知識・経験を高めていくことが必須である。医学部6年間でのポリクリ実習の時でさえも、自分で患者さんを診療するというよりは、外来・病棟での先輩医師の診療の見学実習が中心であった。したがって、一人前の医師としての修養は、実際にはその後のインターン期間から始まることになるのである。

しかし現実の問題として、大学病院を含む大部分の研修指定病院には「教育・研修」に値するような設備・教育体制・指導者は整備・配置されてはおらず、インターン生は実質上、未熟な「医師労働者」としての立場で臨床の現場（外来・病棟）に放り出されることになっていた。

確かに「臨床研修」は「医療労働」と不可分である。ここに問題の本質がある。インターン生たちはいまだ医師国家試験を受けてはおらず、かといって医学部を卒業しているため、学生でもなくまた医師でもないという状態のまま、教育・研修体制が整っていない病院で、「教育・研修」の名のもとに労働行為として患者の診療に向かわざるを得なかった。

これを大学や研修指定病院の側から見れば、外来や病棟での診療行為の大部分を、そしてそれらの病院の経営をこのインターン生たちの「研修」を名目にした「無報酬労働」(タダ働き)に依存していることになる。この1年のインターン期間終了の後、彼らは医師国家試験を受験し、合格の後、晴れて正規の医師となるのである。

大学病院を中心とする多くの臨床研修指定病院は、毎年大量のインターン生を「研修」という名のもとに「ただ働き医師」として雇い入れることによって維持されていた。もはや、インターンという医師教育制度は低賃金どころか、無報酬医師労働で病院を支えるものになっていた。考えようによっては「女工哀史」*9に匹敵するような医療制度を国がつくり上げ、運用していたのである。彼らはインターン終了後、そして国家試験合格後も「無給医局員」という名前の下に長期間のアルバイト医師としての生活を強いられていたのである。

インターン時代の"半"医師(ニセ医師?)たちは、医療の現場で直接患者さんと接することができる喜びとともに、ほとんど指導体制のないまま、日々の臨床の激務の中に放り出されていた。夜間も「当直」、というよりは自ら研修のために病院へ泊まり込み、“ヒヤヒヤ”ものの診療を行なっていた。この泊まり込みは体よく「residency system 」と呼ばれていたが、何のことはない、正規医師の代理当直要員であった。要するに、6年の医学部を終了したあと、さらに1年を親の「仕送り」に頼って彼らは生活をしていたのである。

親も“半”医師たちも、そのことを医師になるための「前提」として半ばあきらめ、その制度を受け入れていた。当時は今よりも医師の子弟の割合が多く、親の経済的な余裕が“半”医師の存在を許していたのかもしれない。それでもやはり、「健康診断」のような治療を伴わない医療分野での闇アルバイトをして、生活の足しにしていたインターン生もいたようである。

「インターン制度廃止」の運動は、もの言わぬ低（無）賃金医師労働者の育成という、この時代の医科大学の医師大量生産方式と医療制度とに対する「改革運動」であり、その本質はきわめて政治的な背景を持つものであった。

医師の臨床研修と医療労働行為の持つ二面性は医学教育のかかえる本質的な問題であるが、その一面のみを大学病院・臨床研修病院は経営のために十分に利用してきたのである。そして、そのようなインターン制度の維持には、その前段階での医学生たちが医学部教育の中から「もの言わぬ子羊」として毎年一定数が自動的に排出されてくることが必須の要件であった。

このインターン制度に対する問題意識は昭和29年（1954）、「医学連」（全日本医学生連合）が発足した当時からの主要なテーマであった。インターン制度撤廃運動はその後、徐々に盛り上がりを見せ、昭和42年(昭和41年度卒業生)に至って、この制度撤廃をめざして全国の医学部卒業生の90パーセント近くが医師国家試験をボイコットして、反対の意思を示すことになる。

同年（1967年）4月、医学連関東ブロック主催の「インターン制度完全撤廃決起集会」では、約1500名の医学生が機動隊による規制の中を厚生省に向けてデモを行なった。このとき、日大医学部からも多くの医学生が参加したが、制度撤廃自体には賛成であっても、「街頭デモ」という意志表示の方法に参加者はためらいを持っていた。これには前述したような、日大医学部内での「空気」という重い抑圧が大きく関係しており、街頭デモ参加者たちはこれをはねのけるための大きな「決意」を要したためである。そしてまた、このデモ参加を主催した当時の41年度生学生委員会が学部当局による“反応”を恐れたためでもある。

この「決意」は日大以外の医学部学生には想像もつかぬものであったろう。日大医学部の参加者は、せめて機動隊とのぶつかり合いのような「過激な行動を避けたい」という思いから、「インターン制度ハンターイ」のシュプレヒコールとともに、厚生省前で持参の色とりどりの“風船”をいっせいに空に放つ「風船デモ」という戦術をとった。とにかく機動隊との衝突を避けて、何となくマイルドな街頭デモにしたかったのである。

だが、この風船デモ戦術は、当時すでにこのインターン闘争を国家権力とのぶつかり合いとみて、機動隊との衝突やむなしと考え、反日本共産党的立場を明確にしていた多くの医学連参加校の学生からは「日共的」（民青的）であるとの目で見られた。デモ後の集会のなかで、その手段が非闘争的な「お祭りデモ」であるとして批判をあびたのである。しかし、当のデモ参加日大生からすると、学内規則である“重い空気”から逃れるための覚悟は、実はそれどころではなかったのである。ともあれ、これは日大医学部生にとって、組織として「初街頭デモ」であった。

春の医師国家試験をボイコット*[10]した（当時、国家試験は春秋の年2回）医学生は半年遅れの秋の国家試験を受験して医師になっていったのであるが、この学年は「41青医連*[11]」と呼ばれ、インターン制度廃止闘争の主軸であり、またその後の青医連運動の中心学年でもあった。

インターン制度は昭和42年度をもって廃止された。しかし、厚生省による代案のないこの一方的な制度廃止に対し、青医連の医師はいずれの大学においても多忙な現実の医療活動に埋没し、その後の具体的な制度改革のための行動を提起できず、昭和44年（1969）頃までに運動は消滅した。いくつかの私立大学でこの制度反対運動は部分的に彼らの職場（医局）での有給化運動として闘われ、国公立大学・病院ではより理念的に「学会専門医制度反対」、「医局講座制解体」という運動スローガンに変わっていった。

このインターン制度はその後、とりあえず卒業後にまず国家試験を受験して医師資格を与え、その後2年間の「登録医制度」

という名の義務研修に継続させる制度に置き換えられた。しかしこの登録医制度による研修医の「有給化」はほとんどの私立大学では達成されず、「研修」のみ義務、「給与」は無給という状態が長らく継続した。

ちなみに、私が医学部を卒業した昭和48年（1973）には「制度」としてのインターンはすでに廃止されていた。卒業し、国家試験合格後は「登録医」として希望の大学医局に所属した。これは強制力のない義務であったが、だれもこの時点で開業したり、一般の病院へただちに勤務するということを考えなかった。自分の臨床的実力が「患者さんを診る」ということに足るとは考えていなかったし､その自信もなかったからである。

しかし、大学病院における「無給労働」の実態は何ら改善されておらず、結局、私の30数年の大学病院での医局生活の半分以上の期間は大学から給与のない「無給医局員」であった。この間、大学医局関連病院への週1～2回の非常勤勤務(公認アルバイト)と週末の土曜・日曜を中心にしたこれらの病院での「当直」によって糊口をしのいでいたのである。

日大では昭和41年（1966）当時、医学部学生委員会の下部組織に「インターン委員会」があった。主にインターン制度廃止後、研修制度の抱える問題を討議・検討しようとする学生組織であったが、医師としてすでに病院勤務に携わっていた「青医連」の医師がこの委員会に参加することはなく、学生を中心としたこの会は、どちらかといえば残された学生たちが「医療問題」について幅広く意見交換するような会であった。私は1年の時からこの委員会に加わっており、医学連主催の厚生省へのデモにも参加した。しかし、まだ制度撤廃への激しい意識はなく、デモというものに対する“もの珍しさ”が先行していた。

いわゆる「インターン闘争」と「全共闘運動」とはいずれの大学においても時期的にほぼすれ違いであり、いったん卒業し、医師になってしまった青年医師たちがその後の全共闘運動に深く結合し関与していくということはなかった。

8 発端・着火

多くの学部で、大学の意を介した体育会系学生による学部自治会（いずれの学部においても「自治」の名に値する活動実態を持っていたかどうかは疑問だが）および学生の集会への介入、文化系サークルへの抑圧、リベラルな講師による講演会の強制的中止、時にそれらの活動への暴力的抑圧などは日常化しており､多くの学生たちは「沈黙」を強いられていた。さらに、そのような大学の管理方針は学生のみならず、教職員の言動に対する管理体制にも及んでいた。

このような全共闘運動の「闘争前史」とでも呼ぶべき前近代的暴力管理体制はすでに多くの資料で明らかであった(「日大闘争」創刊号、文理学部闘争委員会理論機関誌、1969.4.1）。それでも学生たちはこの種の「不正」に4年間耐えていれば、自動的に押し出されて卒業してゆく。その間の辛抱である。これらの不正に対する一時的な抵抗・抗議はベルトコンベアの上の学生たちの行動に定着することはなかった。

いわゆる「マスプロ教育」（大量詰め込み授業）は常態化していた。入学定員オーバーで狭い教室に詰め込まれた医学部の教養課程での基礎科目授業は、百数十名の学生を一堂に集め、講師がマイク片手に黙々と語り続ける授業の連続であった。英語・ドイツ語などの語学だけはクラスを二つに分けた50数名ずつの少人数授業であったが､「法学」「倫理学」のみならず「物理」「化学」の理系科目にあってさえ、大講堂でのマイク授業であった。

医学部にあってさえこの授業風潮は当時日常的な風景であり、より学生定員の多い文科系他学部ではもっと大規模授業であったことは想像に難くない。試験でさえ名前の上に「出席番号」と「体育会系クラブ名」さえ書いておけば「落第はしなかった」という話は、他学部へ入学していた高校の同級生から聞かされた。ウワサはどうも本当らしい。アカデミズムの匂いさえしない暴力団管理のキャンパス……。これが濃淡はあるにせよ、わが日本大学に共通の“匂い”であった。

この年（昭和43年、1968年）の1月、大学本部教務部長でもあった理工学部教授（小野竹之助）による「5000万円」の脱税に端を発した東京国税局の監査は「学校法人日本大学」の全学部に波及し、4月には「20億円の使途不明金」が国税局から発表された。この間、いくつかの学部における財務・会計担当者の失踪や自殺なども加わり、各学部では学生会・教職員・教授会まで巻き込んだ議論が巻き起こり、そしてそれは大学本部に対する抗議文・声明文の発表と、次いで本部全理事の「退陣要求」にまで発展した。

話は簡単であった。いい加減な教育体制を前提に学生（親）から徴収した多額の授業料や寄付金は、いい加減な会計経理、大学理事会を中心とする特定の人間による「山分け」、不満や不正に対する暴力的な抑圧装置である体育会系学生たちに対する特別な「支援金」などに振り分けられてきた、というだけのことである。

5月には経済学部において抗議の学生集会がもたれたが、ご多分にもれず、これにも体育会系学生による暴力的な妨害があった。5月23日には経済学部学生を中心とする1200名の学生が「校歌」を歌いながら白山通りの「200メートルデモ」を行なった。これが日本大学の学生として初めての記念すべき「街頭デモ」となった。

この大学ではこれまで学生たちがデモだけではなく、外の世界に向かって自分たちの意志を表明することなどなかったのである。このとき、のちに全学共闘会議議長となる秋田明大*[12]を含む15名の処分が発表された。まさに、みずからの不正については棚上げをしてであった。

これに対して、経済学部・法学部・文理学部では大学本部に対する「闘争委員会」が結成され、5月27日には秋田明大を議長とする「日本大学全学共闘会議」（日大全共闘）が結成された。

日大全共闘の要求項目は、

1 経理の全面公開
2 理事の総退陣
3 検閲制度の撤廃
4 集会の自由
5 不当処分の撤回

など、「教育機関における脱税・重大な不祥事」に対するものとして、また戦後民主主義体制の中では「要求項目」に含まれることさえが異常というべき内容のものであった。

これに対し大学本部は、「形式的に全共闘は大学公認の学生組織ではない」との理由で、団体交渉を拒否した。当然のことながら、既存の大学公認の「正規」の学生組織はこれらの要求をすることなどなかった。また何かを大学に要求すること自体が体育会系学生の餌食になることが長い学生の自治活動の歴史のなかで自明のことであったことから、大学側から見た合法組織が正当な要求を大学に求めること自体が不可能である体制ができていた。「法」にのっとった「擬制民主主義」とはこのような体制をいう。

そんななか行なわれたのが、5月23日の街頭デモであった。経済学部・法学部・文理学部学生を中心とした1000名以上もの学生が、なんと「校歌」を歌いながら白山通りをデモ行進し、デモはその後に続く「白山通り解放区」デモのきっかけとなった。学生たちの表情は笑顔に満ちていた（三橋）。

6月11日、経済学部でのスト突入の方針に対して、体育会系学生250人が逆に経済学部校舎に立てこもり、学部校舎のまわりに集まった5000名の学生に対して、石・コーラのビン・机・イス・スチール製ロッカーなどを手当たり次第に投げつける事態が起こった。全共闘側学生は負傷者多数を出しながらも反撃し、校舎内に突入した。この乱闘騒ぎに対し、大学側は「機動隊の出動」を要請した。

出動した800名の機動隊を、全共闘側学生は当然のことながら「体育会系学生を抑えてくれるもの」と思い、拍手と歓声で迎えたのだが、実は機動隊出動のターゲットは全共闘学生であり、全共闘側から6名の検挙者を出すことになった。

全共闘側の学生負傷者は200名に及んだ。そして、本部理事による「体育会学生の気持ちは本学の精神である」とのコメントが出されるに及んで、さすがに警視庁警備局長をして「体育会を紛争解決の手段にせず、話し合いを」のコメントを出さしめることになった。警視庁機動隊の中にも多くの「全共闘支持者」が隠れていたのである。

翌6月12日、経済学部闘争委員会は校舎を奪還し、以後バリケードストに入っていく。これ以降、日大各学部は「闘争委員会」「学部全共闘会議」を組織し、それぞれに「ストライキ」を宣言し、バリケードストに突入していった。

夏休みを挟んでの団体交渉の要求は本部理事会側の拒絶にあい、合意に達しなかった。一方、大学本部は東京地裁の仮処分執行にもとづき、大学本部の機動隊によるバリケード封鎖を解除し始める。

夏休み明けの9月14日、医学部は学生委員会でスト権を確立し、9月19日、ストへ突入した。翌9月20日、歯学部闘争委員会が「スト突入」を宣言して日大全11学部のストライキ体制が確立した。

9月21日、大学理事会は全共闘要求項目を「すべて受諾する」旨の文書回答を寄せた。これに対し、全共闘側は大衆団交の席上での回答の確認を要求した。これに対して大学理事会は「団体交渉」ではなく大学主催の「全学集会」の形をとることを通告してきた。集会の名目がいかなるものであれ、全学部ストライキでの圧倒的な学生の圧力によって古田重二良*[13]会頭以下、大学理事者は学生の前に姿を現さざるを得なくなっていたのである。

この時点で、大学側がこの一連の学生の抗議行動をどのように収束させようとしていたのかどうかは明らかではない。おそらく、この集会をもって収束に向かういかなる具体的イメージも持っていなかったのではないだろうか。ただ大学の管理・運営、教育機関としての根本的制度には何の変更ももたらさず、「集会」によってまず学生たちの怒りの“ガス抜き”を図ったのちに、これまで通りの「日本大学」を再出現させようとしていたことは間違いない。

9 学生委員会

春眠暁を覚えず：寝ぼけ眼でよくわからず

医学部においては以前から「学生委員会」なる名称の学生自治組織が存在していた。委員長は学部5年、副委員長は学部4年、担当部長・副部長もほぼ同様の学年構成で占められていた。なぜなら、医学部6年は授業カリキュラムの上で「ポリクリ」と呼ばれる臨床実習のため附属病院内の各医局・各病棟に散らばり、また国家試験用の予備学習に入ることから、学生委員会活動やクラブ活動は実質上「卒業」の状態であった。

委員会活動は主に、文化系・体育会系クラブ活動の調整、医学部からの予算配分、学年単位の学生・教員の話し合い、懇親会の調整、秋の文化祭活動のオーガナイズなどであり、初期のインターン問題に関する討議を除けば政治的な活動テーマはなく、表面上、医学部当局と鋭く対立するようなことはなかった。

しかしながら、前述の井村原稿拒絶のような学内言論における過剰な「忖度」、お目付け役の学生指導担当教授への「目配り」はいつも存在していた。「学則31条」は適応されることはなくとも、常に「見張り番」としての抑圧の権威をもっていたのである。

「20億円脱税問題」がマスコミによって報じられたあと、医学部では学生によるクラス単位で「ミニ討論会」のようなものは行なわれ始めていたが、大学・医学部当局への具体的な運動には発展せず、断片的に漂ってくる「日大闘争」のマスコミ報道に対して学生間で“週刊誌的”に話題にする程度のことであった。私たちが持っていた日常的な不満はこの大学経理の

「不正問題」には直結してはいなかったのである。

ただ、「法律学校」(前身は1889年創立の「日本法律学校」)を出発点とするこの大学が「巨額脱税問題」を引き起こし、重加算税を含めた追加の税の徴収を受け、またその裏面で大学本部の経理不正問題が見え隠れしている状態は、どう考えても教育機関として、とくに法律・商学を学問・研究する機関として恥ずべき状態であった。また、私たちが現に置かれているあまりにも教育機関としてあるまじき教育環境と相まって、さほど深い洞察をすることはなくとも「この大学は根本的にどこかおかしい」という思いが、ほとんどすべての学生、一部の教職員には共有されていた。

5月に入り、経済学部での抗議集会、法学部・文理学部での抗議集会、白山通りでの街頭デモを間近に耳にして、さらに日大他学部の学生たちが体育会系学生の暴力に抗して抗議の意思を示して立ち上がっているのを目の当たりにして、初めて「医学部学生としてはどうするのだ」という、より具体的な行動への意識が芽生え始めた。大学という「学問の府」にあって、これほど堂々たる不正と暴力が「まかり通ってよいのか」という意識は、さほど正義感の強い学生でなくとも共通の意識であった。誰がどうみても「あんまりじゃねぇか」……。

5月27日、秋田明大を議長とする「日本大学全学共闘会議」が結成される頃、それまで個人的に白山通りの全共闘による街頭デモに参加していた医学部学生やクラス委員を中心に、大学の現状を否定的にとらえる声が医学部内でも盛り上がり始めた。

散発的に聞こえてくる他学部での体育会系学生の暴力事件、

その背後にある大学の管理体制の問題点はすでに医学部学生の中にも“実感”として浸透し始めていたが、しかしまだそれは遠く離れた他学部のことであり、理念としての日本大学内部の不祥事であった。マンモス大学の中の単科「大山医科大学」(他学部から遠く離れた板橋区大山地区にあることを揶揄して、しばしば自らを「大山医科大学」と呼んでいた）の中で、他学部で生じている大学への怒りと立ち上がった学生へのシンパシーはあくまでまだ理念的なものであった。

それまで医学部に存在していた学生組織「学生委員会」は、全共闘には“付かず離れず”という消極的同調の方針を貫くことで、医学部学生は全共闘の運動方針に対し同意と賛意を示すものの、組織として（学年単位、委員会単位）デモ参加、ストライキ突入、バリケード封鎖などの具体的行動指針を出すことはなかった。理念賛成、行動不参加という消極的同意であった。

全共闘の大学当局に対する要求項目は、この時代にあってあまりにも普遍的・常識的なものであり、大学の現状を見れば、それ自体に反対する理由はどこにも見当たらないレベルのものであった。全共闘の要求項目は「学園の民主化」というよりは、どう見ても封建制社会における「百姓一揆」に近い要求項目として感じられていたのである。

心情的には、暴力的な抑圧を受けている他学部学生には大きな同情を持っていた。具体的には、全共闘の要求を理事会に飲ませるべく、医学部教授会に働きかけていくというのが学生委員会の基本方針であり、学生単独の行動指針を出すことはできないでいた。

10 医学部闘争委員会設立

処処啼鳥を聞く：何か外は騒々しいな

経済学部・文理学部・法学部を中心にバリケードストに突入していくなかで、大学の変革を「これまで以上に強く求めていくべきだ」という意見は医学部学生の中で日増しに強くなっていった。この方向性はすでに結成された日大全共闘に、より積極的に参加すべきであるという運動に続き、そして“付かず離れず”の学生委員会にとって代わり、学生として反大学理事会の立場を明確にしようとする「闘争委員会」の設立を促すことになった。

闘争委員会は医学部3年（3闘委）を中心に、2年生、4年生のクラスが順次立ち上げていった。この立ち上げは各学年で中心となる数人がクラス会を主催し、組織として動き始めたのであるが、いずれの学年においても何か特別な、組織として多数決による「決議」のようなものがあったわけではない。反大学理事会として運動していくこと、全共闘会議を支持するということに何の異議も感じない雰囲気が学内にはみなぎっていたのである。

4年生、5年生を中心とした従来の学生委員会の内部にも、個人的にはいわゆるスト派学生が存在しており、対医学部教授会への窓口は闘争委員会設立後も、依然、学生委員会が担っていた。日大の多くの学部では、大学の間接的管理機関としての「学生自治会」を打倒したうえでの「闘争委員会」の設立であったが、医学部においては闘争委員会設立後も学生委員会と闘争委員会は併存の関係にあり、のちの「スト権確立」「スト突入」

も学生委員会主催の学生総会でもって決定されていた。他学部で見られたような大学側組織として機能してきた合法的な、いわゆる「御用学生自治会」とはこの点で少し異なっていた。

医学部にあって、闘争委員会組織が「ノンセクトラジカル」と呼ばれる学内的には急進的な学生であるならば、学生委員会委員の多くは上級生であるにも関わらず闘争委員会の周辺に位置して、対医学部的な実務交渉活動を担当していた。したがって、この両組織は明確な対立という形を経ず、スト突入をもって学生委員会が闘争委員会メンバーに実務を明け渡す形をとって去っていった、というのが実情であった。

医学部内にあっては、暴力的体育会系学生がいないこととともに、学生の抑圧組織としての教授会の存在も当初目立たないものであった。前述の学生指導委員長の「目配り」、事務への形式的「届け出」、そして学生内部における暗黙の政治的発言・反大学的発言に対する忖度や自主規制などは、緩い擬制民主主義体制の中にあって、日常的に露骨な圧力を感じさせるほどのものではなかった。さらにまた、教職員の中にも漠然とした反大学理事会、反大学的な雰囲気が存在していた。

それは“漠然”としたものであった。そこには、臨床では患者さんを介した接客の面で常に“世間の常識”にさらされ、研究の面では臨床系・基礎系ともに日進月歩の医学の中で外部との情報交換と競争にさらされることなどから、日大での学内常識が常に開かれた“世間の学外常識”で評価されるようなことが関係していたかもしれない。さらに、「徒弟制度」と呼ばれるほどの医学の世界での少人数教育が、大量生産・大教室での教育とはまったく異なる性質を持つ学部であったことなども関係したかもしれない。

当時（昭和40年代）、医学部においてはまだ自前（日大出身）の教授は少数であり、東大をはじめとする国立大学出身、他大学出身の教授が多数を占めていた。彼らにとっては自分の出身大学での組織の管理・運営が常識の基準であり、日本大学理事会による経営中心の大学運営には“違和感”を持っていたこともあるかと思う。

くわえて、戦前（昭和7年）の日大医学科での「額田医学科長罷免問題」は、特に戦前の医学部・医学科出身の教職員の中に「反大学理事会」の意識をまだ残していた。これは昭和7年（1932）当時の「医学科」と日本大学本部との間に生じた問題により、当時の医学科長（今日でいう医学部長）が本部からの一片の通告によって「罷免」された問題である。

この罷免問題をめぐって、当時の医学科は学生・同窓会・教職員のすべてを含む形でストライキ行動を起こしている。ただ、この罷免問題の発端となった原因も“不明”（当事者の沈黙）、その収束の仕方も実に“あいまい”であった。

結局、「罷免」は撤回されず、時の日大学長の辞任という「けんか両成敗」で収束するのであるが、この罷免問題闘争をきっかけにした「反大学理事会」の気分は、当時闘争に参加した学生と同窓生、そしてこの時期（昭和43年当時）に医学部の要職に就き始めていた教員の中にまだ受け継がれていた。

全体として大学の経営上の視点からみれば、医学部は他学部に比べて施設・機器の整備、看護師・検査技師など、多数の職員の維持などから最も「非生産的」な学部ということになり、またそのような中で医学部・病院が何か当然のように大学理事会に予算要求をすることが、大学理事会との間の感情的な距離をつくっていったかもしれない。いずれにせよ、病院・医学部の維持と大学全体の経営は、いつの時代でも医学部を抱える総合大学に内在する問題ではあった。

学生委員会も闘争委員会も、医学部教授会を介して大学理事会に対し、「不正経理問題の解明」と「全共闘要求項目」を飲ませるように働きかけるということで動いていた。この医学部教授会を介して大学理事会の改善を図るというパターンは、医学部学生運動にとって、このあとも基本的な形であった。そして医学部教授会もまた、ある時期まで本部理事会に対する批判的立場を維持していたのである。

そのようなこともあって、医学部教授会は、学生のストに対しても、実際バリケードストでさえなければ「全共闘－本部」の闘争の中でおのずと決着がついていくのではないかという日和見的な、ある意味では学生に対してリベラルな態度をとっていた。

医学部学生（学生委員会）は、全体としてみれば、医学部教授会に対し、大学本部理事たちの不祥事の追及を託す形で運動を展開した。そして医学部教授会も、問題発端の当初、本部理事会追及の態度を示していた。

そんななか、6月11日、経済学部での全共闘の決起集会に体育会系学生とOBを主とする集団が乱入、多数の重軽傷者を出した。大学本部のこの強圧的処置に対して、医学部教授会は「声明」を発し、その責任を問うとともに医学部の自主独立性を強化する決意を表明した。そして、これに呼応するように、7月3日、理科系5学部教授会は大学本部の対応に飽き足らず、寄附行為の改正と評議員の総退陣要求、理科系学部の独立をも辞さない構えを示した。

しかし、闘争の後半になると、教授会は“どうにも動かない本部理事会”“いつになっても追及運動をやめようとしない医学部闘争委員会”“いつになっても先の見通しのない状況”に対し、現実的諸問題（全員留年にともなう入学試験中止、新入医局員・研修医の途絶による病院診療担当体制の混乱、研究活動の停止）などを目の前にして、最終的に大学本部追及の手をトーンダウンさせ、医学部における「スト解除」（正常化）の方向に動いていった。考えてみれば、この状況に強いられた教授会の運動のトーンダウンの理由は、学生活動家がやがて運動の現場から離れていく理由そのものでもあった。

11 9.30大衆団交

起床

夏休みが明けてもいっこうに鎮静化の気配を見せない学生の抗議運動に対して、大学理事会は結局、日大全共闘の「5項目」要求を文書にて受け入れ、さらに、その確認のために古田会頭以下理事たちの出席を前提にした集会の開催に同意した。そして、9月30日、両国の日大講堂において理事会のいう「全学集会」は、実質的に全共闘の要求する「大衆団交」として開催されることになった。

この「全学集会」を大学としては全共闘学生の要求を受け入れ、かつ多くの学生の前で確認書を取り交わし、「幕引き」（形式上「おまえさんたちの要求は全部飲んだよ」）のための集会と位置づけていたはずである。当然のことであった。

しかし、全共闘の学生たちは、長きにわたる日本大学本部理事会の学生弾圧の歴史への自己批判、今次の全共闘運動に対する暴力的な弾圧への反省、処分撤回とともに、確認された要求が今後各学部で誠実に実行されてゆくための大学運営体制の変更、暴力的な学生抑圧を封印するため制度的な改善などを認めさせてゆく、そのための大衆団交と位置づけていた。

ここに、単なる「店じまい集会」と考える大学理事会と、これまでの歴史に対する根本的自己批判（謝罪）と今後の大学運営体制の変革の確約を前提とした日大全共闘の「大衆団交」の思惑とはまったく食い違うものとなっていた。

この大衆団交の場において、学生たちの圧倒的なパワーに押し切られた古田会頭以下の出席理事は全共闘の要求を認め、「誓約書」に次々と署名していった。集まった2万5000を超える学生からは歓声と歓喜の紙吹雪が舞った。あまりに当然すぎる学生側の要求、基本的人権にのっとった権利の要求、暴力的な学生管理の撤廃などの要求に対し、反論すべき言葉を持たない大学管理者は全共闘学生たちの要求を飲むしか術がなかったのである。

ただ、それは彼らの真の反省を示すものではなく、彼らにとってこの集会は単に学生側の“怒り”を鎮めるための一つの手続きに過ぎないのであった。このあと、彼らが従前の大学運営の在り方を変える意思など毛頭ないことは自明であった。

全共闘側もそのことを十分に承知していた。だからこそ、単に形式的に要求項目を認めさせればよいということではなく、今後の大学理事会に対して全共闘を主体とする学生の力を示しておく必要があった。

学生の“怒り”の感情の爆発はすさまじく、出席した理事たちに対し“手”こそ出さないものの、まさに追及に次ぐ追及を繰り広げた。それに対し、古田会頭以下出席理事者はただ同じ答弁を機械的に答えるだけで、まさに“ぐうの音”も出ない状態のまま、長い時間が経過した。

長い日本大学の歴史の中で、このような前時代的体質を育て、温存してきたことに対する根本的な反省がないところで、当局者に自己批判を迫る全共闘側に対する理事たちの意地のようなものが、当日、両国講堂に集まった学生の熱気をさらに熱いものへと燃え上がらせた。彼らはまさに、一時的に不利な状況がただただ通り過ぎるのを待っていただけなのである。

広い両国講堂での騒然とした雰囲気の中で、全共闘側・理事者側の発言を一つひとつの言葉として正確に聞き取れる状態ではなかった。ただ歓喜の紙吹雪が舞う中で、居合わせた学生たちは全共闘運動の「勝利」の現場に立ち会ったという実感を持ったことだけは確かであった。

しかし、私たちが大学理事会の代弁者たる教授会を追及してきたものの、そのトップの医学部長がこの「9.30団交」の席に参加していなかったどころか、大学本部からこの日の集会の「連絡さえ受けていなかった」ということを、教授会とのやり取りの中で確認したのはその後のことである（9.30両国講堂における集会に対して参加を警告するビラが教授会名で出されているので、この教授会の弁明は怪しい）。

闘争委員会を中心とする医学部学生たちはまだ、教授会を介して大学本部へ全共闘の要求をするという戦術がまったく「断線状態」であることを見抜いてはいなかったのである。あの「9.30自己批判書」が明らかにしたことは、この大学が教授会どころか学部全体の意見さえ抜きにして運営されているということであった。にもかかわらず、私たちは本部理事会に対して要求の手段を持たない医学部教授会に、医学部学生の要求を“せっせ”と託していたのである。

そしてさらに、この団交当日にあってさえ、いくつかの学部では団交に参加したため少数になったバリケード守備学生に対し、体育会系学生（この時期にはすでに学生ではなく右翼団体からの動員もあった）によるバリケードの破壊と留守学生への

日大講堂（両国）を埋め尽くした学生（1968年9月30日）
写真提供：読売新聞社

暴行が繰り返されていた。とくに団交当日、芸術学部での右翼による学生への暴行はすさまじく、いまだ日大闘争における右翼・体育会系学生による「蛮行」の象徴として語り草になっている。

この両国日大講堂で、それまでの暴力体質に対する「自己批判書」を書いている当日にあってさえ、この大学の暴力行為は臆面もなく顔を出していたのである。

12 強いられた転換

全共闘の要求と交渉の方法が、これまでこの種の交渉事の定番であった学生代表と大学側理事者・学長というような「代表者会議」の形式ではなく、「大衆団交」という、学生であれば誰でも“交渉の場”に参加できるという直接民主主義によって大学理事会に対してつき付けられ、「学園民主化」の第一歩がこのような学生の力による主導で達成されたことが報じられると、時の政権（佐藤栄作首相）は大きな危機感を持つことになった。

佐藤首相をして、「大学運営におけるこのような決定手段を認めない」との声明を出してきたのである。一私立大学の内部問題、それも大学理事者に対する不正追及運動に対して、一国の首相がその不正を正すようなコメントを出すどころか、逆に学内の運動（解決の方法）に否定的なコメントを出すということは、明らかに政府が不正な大学理事者の側に立っていることの証明であり、かつ一私立大学の存立の基盤が、実は国家の教育体制の“何か”に抵触するものであることを示すものであった。

国家全体としてみれば、私立大学は滞りなく“羊”たちを輩出し、社会・経済基盤の下支え要員の供給源となってくれることが望ましいものであったろうし、その限りにおいて個別私立大学における不正などは国家全体の社会・経済構造の維持という観点からみれば許容されるべき範囲の問題であった。今回のような「大衆団交」という学生参加のもとで、大学管理者の意思が強制的に修正され、運営されていくこと、そしてこのような手段がこの同じ時に起きている全国の数多くの大学に波及していくことが、そしてその後の大学の意思決定の前提になっていくようなことであれば、確かにこの大衆団交の持つ意味は政府にとって重大事件であり、「個別大学」の問題を超えるものであった。

直轄地「国立大学」の内部問題に文部大臣が直接口をはさむことでさえ「大学の自治」の観点から大問題であるとされていた時代、「一私立大学」の不正追及問題に一国の総理大臣が口をはさむとは、いったいどういうことか。暴力的な大学の学生管理や経理の不正問題に一国の総理大臣が口をはさんでくれたことがこれまであったであろうか？

この佐藤総理大臣のコメントをお墨付きにして、大学理事会は「9.30団体交渉」での自己批判書、確約を撤回することになる。ここは日大闘争における大きな“転換点”であった。

「9.30団体交渉」という日大全共闘の力による解決法は、民主主義という制度を御旗にして、恥と外聞、嘲笑と蔑視にさえ耐えれば何事もなく居直ることができるという、時の為政者たちの最終的解決法が何の役にも立たなくなってしまうという危機意識をもたらすものであった。

ちょうどこの頃、隣国中国において、主席・毛沢東が主導する「文化大革命」が、紅衛兵*14たちを先兵にして既存の共産党組織の枠を超えて党内外の「反革命分子」を糾弾するという、直接民主主義による革命運動が展開されていた。「文化大革命」と「大衆団交」とを社会現象として結び付け、何ほどかの不安を感じた為政者がいたかもしれない。

この「9.30大衆団交」は、大学のあるべき姿を求めて立ち上がった、すなわち理念闘争として始まった全共闘運動が、より長期的な学内の制度改革運動へ移行する一つのチャンスであった。大学側にとってもこの「9.30大衆団交」は、それが全共闘側から「欺瞞的」であると指摘されようとも、一つの大きな転換点として、運動の収束をはかるチャンスであったかもしれない。もちろん、その長期的な制度改革運動（全共闘的表現では「物取り運動」）では、「9.30大衆団交」によって得られた一時的な確約がいずれ実質的に反古（ほご）にされていくに違いはないのだが……。

一つの闘争の中で、最終的な目標が達成されずとも、それに向かって小さな妥協点を繰り返しながら実績を一つずつ重ねていくという、いわゆる改良闘争の手段を、当時「物取り闘争」と称していた。制度的に全共闘の組織が長期的に保障され、また全共闘の側にも長期的に目指すべき具体的な大学のあるべき姿が明瞭であれば、積み重ねの「改良闘争」という闘争手段は有効であったかもしれない。しかし交渉相手が暴力を背後に、「擬制」でさえ民主主義的手段を認めないのであれば、改良を重ねる「物取り闘争」は、全共闘運動終息のためのワンステップにしかならない解決手段であった。

大学に対する学生の不信感はあまりに強かった。学生もまた、この大衆団交の成果が大学理事会によって誠実に実行されていくとは全く考えていなかった。つまり、その後の学内での制度的保障は何もないままに、9.30団交は「あの日のこと」で終わったのである。
　そのまま学園が正常化したときに、あの以前のような暴力的雰囲気の学園がそのまま残っているものか、ちょっとはマシな雰囲気になっているのか、ということはあの当時、まったく考えなかった。ただ「終わった」のである。友人の下宿のおばさんの言ったひとことがすべてを表していた。
「気が済んだかい」……。

　もちろん、この学生の爆発的な力をより国家レベルの理念闘争・革命への一段階と考えるセクトの人間たちから見れば、実質的に「収束」を意味する学内改革路線への切り替えは、最も避けるべき戦術であった。団交翌日の10月1日、時の政権が「9.30団交」を政治問題化したとき、全共闘の持つ理念運動的なものを、政権自体が無理に彼らの土俵上での理念（思想）闘争に転嫁させたといってもよいかもしれない。
　全共闘側から見れば、とりあえず闘争の目標として掲げた要求が貫徹されたことで、名目上の「目標」を失ったといってもよい。この時点が一大学の個別の問題の解決さえ国家体制の変革なくしてはありえないという、セクト側学生の論理にノンセクト学生が吸い寄せられる“転換期”となっていった。
　そして、全共闘運動が具体的な改善・改革の闘争ではなく、一方で永続的な理念闘争でもない、いわば現状の在り方に対する抵抗運動であったことの必然であり、限界ではあった。あの“つるし上げ”をもって闘争を切り上げ、その先を提起できる新たな戦略がノンセクトラジカルの学生にはなかったのである。

13 全学共闘会議

全共闘運動：全共闘・全共

「全学共闘会議」では、だいたい執行部の数人が全体の闘争ならびに大学側の対応状況を「報告」するとともに現状に対する分析の「演説」を開始し、そのあと何人かがそれに対する補足的な、あるいは自分の立場からの小さな「異見」を、それもアジ演説口調で述べ、それはそれでその場では聞き流され、あまりお互いの意見自体をめぐる討論はなく、またそれらの発言も誰か取り仕切る司会がいるわけでもなく、一人の演説（意見陳述）が終われば次の人が……というふうに、勝手に立ち上がってやっていた(医学部の闘争委員が全共闘会議に出始めたのは9月に入ってからでなかったかと思う)。

議長の秋田はいつも目をつぶって静かに演説を聞いていて、自分から具体的な方針を提起するようなことはほとんどなかった。基本的な全共闘としての行動方針は、会議以前に全共闘執行部によって決定されていたと思う。

「9.30団交」(大学側のいう「全学集会」) を控えた数日前(だったと思う)、「全共闘会議」がバリケード封鎖中の理工学部校舎で開かれた。いつものように中核派と目される数人がこの団交の政治的な意義を演説し、何人かの他の全共闘執行部が団交の実務的な進行を確認したのち、一人の男が立ち上がり、セクトの人間の演説らしくない口調で、淡々と自分の意見を述べ始めた。

「この団交の受諾は欺瞞であり、この団交を勝利と位置づけて受諾してしまえば、学生は全共闘の提起している要求スローガンが達成されたと思い、運動はポシャってしまう（当時、運動の収束を「ポシャってしまう」と表現していた)。したがって、この理事会の団交受諾はわれわれにとって勝利ではなく、受けるべきではない。全共闘運動の収束の始まりになってしまう」……。

そんな趣旨の、さほど長くはない演説であった。居合わせた多くの全共闘指導者たちの、団交開催を勝ち取った勝利の雰囲気の中でひとり、むしろ淡々と話すその内容に私は驚いた。本来「物取り闘争」ではない全共闘運動が、具体的要求の受諾によって収束してしまうことを恐れた、いまから思えば運動の本質を見抜いた卓見であったと思う。たしか、芸術学部闘争委員会の人間であったかと思う。

しかし、その時の「全共闘会議」の中でこの意見はとくに大きな反発を起こすこともなく、ともかくも、これまで要求してきた「団交」に大学側が応じたことは、やはり「勝利」への一歩であるとの意見が多数を占め、この演説は聞き流された。いつものように、この全共闘会議でも秋田議長は多くの言葉を発せず、目をつぶり、静かに議論の成り行きを見守っていた。

芸術学部闘争委員会の人間であろう彼は、理念闘争の本質を見抜いていたのである。「国家体制の変革―大学制度の改革―日大の理事会を中心にした意思決定方法の改革」というような一連の壮大なテーマを掲げたとき、その過程における小さな改革は、変革を迫る側からは一つの成果であるかもしれないが、制度を守る側からは、制度の本体を守るための、そして変革運動収束のための“トカゲのしっぽ切り”だったのかもしれない。

彼はのちに同じような内容を「9.30団交」の席上で集まった学友を前に演説したらしいが、私には聞き取れなかった。

それはさておき、佐藤首相の発言をきっかけにして、大学理事会は「9.30大衆団交」での日大全共闘との確約を反古にし、日大闘争は一大学の不正追及問題から政治闘争への“転換”を迫られることになった。

10月2日、大学理事会は10月1日の佐藤首相の発言を受けて、「10月3日に予定されていた大衆団交は9月30日の状況に鑑み、冷静な話し合いをすることが期待できない」との声明を出し、拒否してきた。

それはそうであろう。はじめから確信犯的に暴力でもって学生の口と行動を封じてきた大学理事会に対して、強制的にその過ち、在り方を変更するためにはどのような手段が求められるというのか。そもそも過ち、不正自体の存在を認めない人間に対する追及の場としてしか大衆団交はありえなかった。

学内において、民主的手段を微塵も認めてこなかった彼らに民主的話し合いによる解決が望めないからこそ、「ことここに至っている」という経過の認識はない。その限りにおいて、「大衆団交」は「つるし上げ」であるという見方は、実はどちらの側からも当を得ている。

大衆団交自体が「団体交渉」としての実質的な交渉の内実を持たず（具体的な交渉の成果を持たず）、いわばそれまでの大学側の在り方を強制的に完全否定する言質を取るかどうか、全共闘側の要求を全面的に飲むか飲まないかという舞台であった。

「言葉」を介しての“交渉の場”を大学内に存在させてこなかった大学側からすれば、佐藤発言の後に発せられた古田会頭の言葉「全共闘を交渉相手と認めず」は、実質上、交渉「相手」の問題ではなく、「交渉自体を認めず」という従来の大学側の独裁的な在り方に戻ったに等しかった。

いかなる意味においても、この大学には共通の「言語」でもってその内実をやりとりするという伝統が存在してこなかったのである。「独裁」は交渉相手を否定すること以前に「交渉」でのやり取り自体を否定することであり、これは一大学の運営においても軍事政権下での「相手」（敵）に対する政治の場合においても同じことである。

10月4日、全共闘議長・秋田明大に逮捕状が出た。

14 医学部スト突入

大学理事会が「9.30団交」の確約を反故にするという状況の中で、結局、これまでの学生の要求に対して大学は何ひとつ「落とし前をつけていない」という気分は医学部学生の内部でも強くなっていった。さらに、「団交」という圧力でもって形式的・強制的に要求をのませてみても、現に大学を管理運営していく理事者たちの在り方が何ひとつ変わっていないという実感もますます強くなっていった。

10月4日、医学部学生総会はスト突入を決議した。

スト突入を境にして、医学部で闘争の主体は「学生委員会」から「医学部闘争委員会」に移っていった。ただ、この時点においても学生委員会の一部にはスト支持派が残っており、医学部教授会との交渉を含む学生側の自治活動は、何となく両者の混合状態の中で実行されていった。

学生委員会の主体は医学部5年生であり、彼らは病院での臨床実習を控えていた。この時期、医学部側からの留年恫喝はあまり露骨なものではなかったが、5年生にとって近い将来このことは必ず切実な問題になるはずであった。実際、この留年問題は翌年1月の学生総会で「スト解除」の決定的な動機となるのである。

医学部闘争委員会は3年生闘争委員会を軸に、2年・4年の学年闘争委員会の連絡会のようなものであり、当時、医学部本館地下にあった「学生委員会室」をそのまま「闘争委員会室」として使用していた。

全共闘運動自体がそうであったように、医学部闘争委員会も何か形式的な手続きを踏んで組織として立ち上がってきたわけではない。どの学年でも活動的な学生がクラス会を開催し、その中で自発的な集団として、この医学部闘争委員会に集まってきた。結果として、医学部闘争委員会も何か正規の会議のようなものを開催して、闘争委員会としての役職を決定したわけではなかった。

結局、3年生闘争委員会の立川君が医学部闘争委員会委員長ということになった。委員会室に集まった何人かの学年闘争委員会活動家たちが、スト突入の少し前に、「お前やれ」「うーん」「しょうがねぇな」というような程度のやり取りの中で“民主的”に決定されたのだった。私もまたいつの間にか「書記局長」という立場で闘争委員会の実務と医学部との交渉役になっていた。

それまでの経緯で、それぞれ各学年でアクティブに行動している人間が何となく名指しされたあと、拒絶もせず、成り行きの人事であった。どの役職の人間も自分からそれになりたかったわけではないが、特別に重大な決心をすることもなく、現状に「異議申し立て」を表明した以上、当然という感じで仲間からの指名を受けていた。

医学部本館には学生講義用の教室、臨床講堂、「医局」と呼ばれるいくつかの基礎医学教室、事務室の一部、そして闘争委員会室のある地下1階には解剖実習室などが入っていた。この建物は板橋校舎建設（昭和12年、1937年）以来の石造りの建物である。隣接する場所に、当時「東洋一」と目された病床数1200の大学病院が控えていた。

医学部闘争委員会は、それまでの学生委員会の「全共闘には付かず離れず」という闘争方針から一歩前進してはいたが、まだ日大全共闘への「同調スト」のような感があった。その過激度、医学部教授会に対する否定度からみて、この医学部本館自体をバリケード封鎖するようなストライキ戦術はまったく考えられなかった。

医学部学生たちも学生総会での「スト突入」の決定を受けて、何のためらいもなく、翌日から学校には出て来なくなった。それが“あたり前”と思っていたし、日大全体の雰囲気がそのようなものであった。「こんなときに授業なんかやっていられるか」というのが大部分の学生の実感であり、「うちの学生のスト突入が全学部の中で“ケツ”のほうでよかった」というのが、医学部教授会の偽らざる実感であったろう。

私たちは本館内に散らばる「教室」を各学年闘争委員会の「根城」に振り分けてストライキ期間を過ごした。地下の闘争委員会室には昼夜を問わず各学年の活動家がウロウロしていた。

ここでの医学部闘争委員会としての会合は不定期、随時であった。医学部教授会との交渉、全共闘からの連絡やデモ・集会の予定などが入ると、その都度そこに居合わせた各学年闘争委員会のメンバーと意見の調整をし、連絡内容を伝達していた。いい加減と言えばいい加減な組織であったのだ。

さらにまた、“降りた”はずの学生委員会のメンバーの一部もまだウロウロしていた。隣接する同じ地下1階の解剖実習室から流れてくるホルマリンの匂いを嗅ぎながら、闘争のあれこれを語り合い、各自・各学年、勝手にアジビラを刷っていたのである（今となっては懐かしい「ガリ版」である）。

医学部側の交渉の窓口は明確なものではなかったが、医学部長をはじめとする医学部執行部が直接闘争委員会の前面に出てくることはなく、どちらかといえば、各医局の講師たちがつくる「講師会」が大学当局と学生側との間の仲介役として、ときどき話し合い、交渉の会を設定していた。本音の聞こえてこない教授会よりは、当初全共闘に同調的なスタンスであった講師会も、結局のところ、動かない大学理事会、動かない医学部教授会との間で、経過とともに「動かない講師会」となっていったのは必然的なことであった。

スト突入当初は、定期的ではないが、ときどき入ってくる全共闘会議からの連絡で全学的なデモに参加し、また指定された時間の全共闘会議に２〜３人の代表が参加し、情報をもって帰ってくるという状態であった。

全共闘の側にも別に医学部担当者がいたわけではなく、文理学部闘争委員長であったＴ君が何回か医学部を訪れてきて私たちと話し合いをすることがあったくらいである。Ｔ君は好奇心が実に旺盛で、発言のラディカルさの中にも常識と良識を伺わせる男であった。

「医学部闘争委員会－教授会」、「教授会－大学本部理事会」という交渉のなかで、いっこうに進展しない状態に業を煮やし、私たち医学部闘争委員会が学部長を除く「医学部教授会執行部」を呼び、臨床講義用の階段教室で夜を徹しての「団体交渉」を行なったことがある。彼らを教室に“カンヅメ”にして全共闘確約を理事会に飲ませることを要求したが、それに対する回答は否定とも肯定ともつかず、言語も意味も不明瞭なままの答弁に終始した。

「大学本部の確約の反故はまずい。医学部教授会としても古田会頭を含む理事会にその旨伝えているが、言うことを聞いてくれない」。そしてその経過の合間に、逆に「このようなストを続けてもなにも状況は変化しないから、君たちもそろそろストという戦術をやめたほうがよいのではないか」というような意見を挟むやり取りが延々と続いた。

この時点で私たちは、医学部教授会と大学本部との間にどのような話し合い、連絡のルートがあるのか、教授会・医学部長と古田会頭との間に対等の話し合いが行なわれているのか、ということを問いただしたが、その答えは常にあいまいで、教授会による具体的な対本部理事会への交渉手段は明らかにされなかった。

「何かごまかしている」、教授会は事態打開のために「何ひとつ動いてはいない」という印象だけのやり取りが、執行部を“カンヅメ”状態にしたまま夜半まで延々と続いた。カンヅメにされた執行部を「救援」する体育会系学生は医学部にはおらず、また救援のため「機動隊出動要請」をするほどには身の危険を感じていたわけでもなさそうであった。

われわれの追求の言葉も堂々めぐりになっていた。講堂に集まった学生たちも進展のない成り行きに飽き飽きして、講堂の後ろ扉から消えていくところが「散会」のときであった。まさに互いに消耗な会であった。

そもそも医学部教授会（医学部長）と理事会との間に事態解決のための具体的チャンネルがない状態では、教授会を介した学生の要求や、教授会との団体交渉など、言葉だけがいくら激烈であっても無理な「お願い」なのであった。この大学における理事会は、学生のみならず学部教授会に対しても“独裁的”な立場に位置していたのである。知る限り、これが唯一の医学部闘争委員会の“暴力学生”としての顔であった。

これらは風が立つ、10月の秋も深まる頃のことである。

15 社会問題研究会の立ち上げ

ストライキ突入後、3年生闘争委員会（3闘委）を中心に、2闘委、4闘委、そして一部のサークル（演劇部）メンバーたちは勝手に自分たちの居場所を決め（多くはそれまで授業を受けていた教室または講堂）、定期的なクラス討論、クラス単位の出版物（機関紙）、ビラ作成などを行ない、一部の学生は「自主カリキュラム」と称して医学関連著書の抄読会などを行なっていた。

演劇部を中心にしたサークル部員は、この年の暮れ近く、寒風の吹く医学部本館前にテントを張り、「要求項目貫徹」の立て看板とともにハンガーストライキを決行していた。いずれも理事会の不正・不実をなじり、対応する医学部教授会の無策に対する“いら立ち”を示すものであった。

「9.30団交」より前、医学部での抗議活動が盛り上がりを見せ始めたころ、私は同じ学年の有志と相談して「社会問題研究会」を立ち上げ（昭和43年、1968年7月）、機関紙『自由第1号』の発行を始めていた。動機は、学内で自由な発言をしたい、社会的・政治的な発言をためらわずにしてみたい、アジビラとは違う形の意見表明の場を持ちたい、学内に漂う自己規制の空気を破りたい、という気持ちが中心であった。別に「反体制」の意識はなく、自分が「左翼」であるという意識もなかった。当時、安保後の日本において「ベトナム戦争」や中国の「文化大革命」を語ることは、さほど政治的な学生でなくとも、いわば大学生の“証”のような意識であった。

研究会の顧問を解剖学の中山知雄教授にお願いし、「巻頭言」を書いてもらうことにした。そこには、こうある。

「医学の道を進む者が相集って話し合い、個人的独善を排し、偏狭な片寄りを正し、真の人類福祉を志願して切磋琢磨することは実に大きな意義があり、我々がそのグループを持ちえたことは誠に喜ばしい」……。

そもそも「リベラル」という評価の高い教授であったが、この時期、この状況下での「顧問受諾」はそれなりに覚悟のいる判断をされたのではないかと思う。中山教授はその後、医学部での運動が終息したあとの昭和49年（1974）、防衛医科大学教授兼副校長として転任された。その後、中山教授と直接お会いして話をする機会はなかった。そのため、転任の理由に、あるいは中山先生のお気持ちの中に、この全共闘運動がどう影響したのかはわからない。「発起人」には私を含む、3年生闘争委員会のメンバーの多くと、2年生、6年生などが加わっていた。

「創刊号」の内容は、前述の中山教授の「巻頭言」とともに、「大学の現状を憂え、級友の社研への参加を求める」（医学部空手部のモサ氏）、「明治百年と70年万博を比較しながら日本の右傾化を嘆く」（ぜんそく持ちの社研の会長）、「大学と学生の見ざる・聞かざる・言わざる」（の現状を嘆く信州の熊男）、「三派全学連の過激な行動は明治維新時の攘夷思想の隔世遺伝」（とみる静かな男）、それと“えむ”氏による匿名投稿「医学部闘争の現状分析」、これまたペンネーム「杏林道之助」による

「検閲制度批判」であった。私は部員の実名での「紹介」とロマン・ロラン『ベートーヴェンの生涯』から「世界の息が詰まる。もう一度窓を開けよう、広い大気を流れ込ませよう」という穴埋め記事を書いただけである。いずれも短文、随筆風で論文にはほど遠い。ガリ版刷りではない、名前は忘れたが手書きの謄写印刷物であった。

経済学部を中心にした全学的な闘争が開始されてすでに2か月。医学部はまだ本部理事会に違和を持つ教授会の動きに期待しつつ、臨床実習の始まっている5年生中心の学生委員会が紛争の鎮静化を望みながら、状況を見守っている時期であった。

『自由』の内容はそれぞれが勝手な政治的随想、文芸論を書いている程度のものであるが、この「創刊号」発行自体が当時、学生の闘争目標であった「学則31条」、いわゆる印刷物の学部による「検閲」(届け出)を無視するものであったため、当時としては医学部内の規制を打破する「大きな一歩」という雰囲気を持っていた。実際、原稿を寄せた友人のうち二人は、この印刷物発行による「学則違反」での処分をまだ恐れていた。体育会という暴力装置を持たない医学部においてさえ、校則を逸脱することに大きな覚悟・決心が要ったのである。

ストライキが起こってから多くの大学、学部において校門や校舎の入り口に要求項目を記した立て看板や「○○せよ」「○○に結集せよ」というようなアジテーションの看板が立てかけられた。これはその内容よりも、大学当局の意向・規制を無視して自分たちの「主張」を述べることの喜びの表明であったかもしれない。

16 三島由紀夫と全共闘運動

私たちは大学当局の意向を受けて、あるいは黙認のもと、暴力的に全共闘学生・一般学生に対して圧力をかけてくる学生を「右翼・体育会系学生」と総称していたが、本当に思想的観点から「反全共闘運動」を展開した「右翼」がこの大学にいたのであろうか。

「脱税」「不正経理」であるとか「検閲」など、人の道徳・倫理の基本にあることに対し、そしてその善悪・是非の解釈・判断の分かれようのない問題に対して、純粋に右翼的・左翼的な思想自体が関与することはできないのではないかと思う。おそらく右翼的、そして国士的・民族的視点からしても、日大で運動のきっかけとなった大学の不正経理問題に対しては「反大学的・反体制的」であるべきだと思っていた。それゆえに、本当にこの大学に反体制的右翼・国粋主義者はいたのであろうかと疑うのである。

かつて、戦前の日本では、国内の政治家の腐敗、産業界・財閥での不正・腐敗、そして国中に蔓延する貧困問題に対して、一方の極に共産主義的な国家体制の変革運動をおきながら、対極に国粋主義・右翼による体制の変革運動があった。ただ、右翼の体制変革運動は、常に制度の変革よりは“元凶”になっている要人・指導者を狙う「テロ」という行為と表裏一体のものであった。

だが戦後にあっては、体制変革運動を担う右翼の運動はどこかで、いつの間にか本来打倒すべき「時の権力者」の擁護者の側に張り付くか、それがばらまく利権の受益者の立場へ変質していった。

日大における「右翼・体育会」といったときの「右翼」の実態とその暴力行為の思想的な背景については知る由もないが、彼らが日大の現状に対して「義」や「信」をもって「日本精神」を重んじたことの結果の行動であったとはとても思えない。

東大駒場キャンパス内での「東大全共闘と三島由紀夫」の公開討論（昭和44年、1969年5月）は興味深いものであった。当時のマスコミ報道によると、この討論会は「右と左の過激派による対決」というセンセーショナルなものではあったが、その内容は断片的で、互いの主張を交差させて深く掘り下げるものではなかった。とくに全共闘側の発言者は観念的・感覚的で、この「近代ゴリラ」（当時会場の案内板に書かれていた）を理詰めで打ち負かしにかかっているとは思えなかった。

それまで私にとって三島は、マスコミをにぎわす少しエキセントリックな右翼・天皇主義者という印象でしかなかった。文学者と天皇崇拝の行動右翼が一人の人間の中でどのように結びついているのか理解できなかった。もっともそれまで体系的に彼の作品、彼の言動を追いかけることはなかったのであるが……。

この公開討論の詳細は、その後、活字になって出版（『討論 三島由紀夫と東大全共闘―美と共同体と東大闘争』（1969年6月、新潮社））されてから知ることになる。当時、断片的に報じられた討論の内容から、彼の思想もまた現実社会に対しては

「正統な右翼」とはいいがたく、彼が守ろうとしている「体制」も、彼が戦おうとしている体制の輪郭も、現実的にはどこにも存在しない、そして現実の「右翼思想」というカテゴリーによっても包括することのできない、幻想の空間の中にのみ存在しているものであることを知った。その限りにおいては、全共闘の相手となっている「大学管理体制」も、それを支える「国家体制」も、おぼろげな輪郭の中では三島が敵対しているものの中に含まれるものであったかもしれない。「不正」を前提にした組織、金銭授受を対価にその「保守」を請け負う思想は、当然、三島的右翼の範疇には含まれない。三島の考える反体制的思考は、どこか歴史と時間に依存した、おそらくは架空の「天皇」をトップにいただく幻想的空間であり、現実的な政治過程の中においてはむしろ「反体制」のそれに近いものであったろう。三島は個々の全共闘運動に賛意を示しているというよりは、全共闘の持つ過激な「反体制」(現状打破) エネルギーに依拠して自分の持つ幻想空間のほんの一端を実現しようと考えたかもしれない。三島は依然として「言葉」の有効性を信じており、「空間」は意図しないが「時間性」(歴史性) は意図していることを対論の中で論じている。

一方、全共闘の語るバリケード、砦の中の空間は歴史性・時間性をともに持たない「原理的空間」であった。それはそうであろう。現実の全共闘運動は「言葉」のまったく通じないところで発生し、おそらく獲得した「バリケード」という空間もまた必ず潰えるものであることを知ったうえでの運動であった。

激しい反体制どうしでありながら、ついにこの二つの「反体制」が現実に交わることはなかったが、三島はこの原理的空間が拡大していくならば、これをきっかけに「暴力」でもって幻想空間を出現させる機会と考えていたようだ。暴力というものが知性による思考の向こう側に出現するものであるならば、三島の暴力はこれであり、またもし暴力が知性というものに依拠しない行動であるとするならば、日大全共闘の暴力は三島の暴力とは対極のところに出現したものである。既存の左翼・共産主義に置き換えることができず、とりあえず「反帝・反スタ」という仮想の標語の下に左翼的運動を展開した全共闘、現実の右翼勢力、そしておそらく現実の天皇主義者に対しても同化できなかった「右翼」としての三島……。三島と全共闘は、人の思想の一巡したところの対極で出会ったものの、その出発点はいずれも確かに「反体制」であった。

「諸君がひと言『天皇陛下万歳』というならば、私は諸君と一緒にバリケードの中に入るであろう」という三島の言葉はおそらく本気であったろう。

17 運動の停滞

道徳的・倫理的に常識を逸脱し、その逸脱に居直り、その居直りの維持のために体育会系学生という暴力装置を使用するという大学の存在は、教育機関のみならず一般社会常識からみても大きく良識を逸脱するものであった。ここから抜け出そうとする全共闘学生の運動は、決して戦後民主主義の制度内の運動ではなく、18世紀ヨーロッパ資本主義勃興期の労働者搾取、日本の戦前の「女工哀史」の時代の労働運動に比較されるべき性質のものであった。

この間、私たちは「解放講堂」と称して、各学年闘争委員会別の教室で自主学習、大学のあるべき姿に関する討論、医学部内へのビラ配布、全共闘主催の集会、デモへの参加計画などで時間をつぶしていた。心情的には日大全共闘への傾斜が強まってはいたものの、実際には彼らの運動への主体的な参画ではなかった。日大全共闘会議からの連絡を受けて有志がデモ・集会に参加するという程度であった。医学部教授会もまた、大学理事会の積極的な対応待ちという状態であった。

だが、医学部教授会が日大全共闘・医学部闘争委員会の側に立ち、大学本部との間の説得や交渉の結果を具体的に学生に向かって提示するような姿を見せることは結局なかった。しかも、医学部教授会が大学本部との間で問題の解決に向けてコンタクトしたという痕跡さえ見いだすことはできず、闘争委員会要求に対する医学部教授会からの文書・やり取りはすべてが空疎な抽象表現のみであった。

全共闘の側にも事態を打開する方策はなかった。そしてまた大学側にも事態解決をはかる動きはなかった。この間、10月初旬には全共闘議長秋田明大への逮捕状が出され、主な全共闘幹部への逮捕状が執行された。しかも体育会系学生のバリケードへの「殴り込み」（郡山・工学部、芸術学部）は、この時期、体育会系学生によるものというよりは、明らかに大学の意を受けた「右翼団体」「組員」によるものであり、追い打ちをかけるように11月12日には芸術学部に機動隊導入、全共闘執行部の逮捕に至っていた。

秋も深まるにつれ、全共闘運動は集会・デモにおける動員力の低下、バリケード内泊まり込み人数の低下に直面し、医学部においても積極的な闘争への参加というよりは「何となく休講」の学生が増えてくることになった。動かない状況に対し、学生の間に精神的な疲弊が見え始めてきていた。

11月18日、医学部において学生総会が開催され、現状の膠着状態に対して、スト解除を前提にした、学生委員会執行部に対する「不信任案」が提出されたが、集まった学生たちはこれを大差で否決し、ストライキは続行されることになった。

ただ、私たち医学部闘争委員会側からも具体的な現状打開の方策が示されることはなかった。一般学生たちもまた引くに引けず、しかし「怒り未だ収まらず」という状態ではあった。いずれの学年においてもこの時期「全員留年」という大学当局の恫喝はさして露骨なものではなかったが、学生の心の中には現実の問題として、自分の将来像に何らかの決断が迫られ始めていたのは確かであった。

多くの学生たちは心の中で、このストライキの収束に対するおぼろげな希望が頭をもたげていたかもしれない。当初の怒りの感情が覚め、あきらめの感情が生まれ始めていた。

一方、一部の学生たちは「留年やむなし」の覚悟を決め、また闘争委員会メンバーは、私も含めてストライキが強制的に解除されたのちの停学・退学処分も頭の片隅にチラついていた。このようなそれぞれの「覚悟」の違いは、個々人を取り巻く環境の要因（家庭・親子関係、経済状態など）によっているところが多かったと思うが、この時点でわれわれはこの問題を、行きづまった状況に対する分析を通した「理論化」の不徹底としてとらえていた。すなわち、運動の行きづまりはより深い問題意識を持ち、より本質的な現状の分析によって、継続的な行動に結びつけることのできる認識が現れてくると考えていたのである。

当初、一緒にスクラムを組んでいた友人たちが、この膠着状態の状況に耐えられず、ストライキ戦術に対する疑問を呈し始めたころ、われわれの彼らに対する「説得工作」は次第に激しいものになっていった。しかし、言葉による説得には限界があった。留年覚悟でストライキ続行の説得に対し、相手の切り返しは、「おまえさんたちの言うことはよくわかる。理論的にはその通りだろう。大学側の不条理な体制は何ひとつ改善されてはいない。それも確かだ。しかし…… 」であった。行動に結びつかないこの「しかし…… 」を切り崩すことができなかったのである。理不尽ではあるが、一般学生の中に「スト解除も止むなし」の漠然とした意識は次第に大きなものになっていることが明らかであった。

この日、闘争委員会側も、勢いを増す反スト派によるスト解除動議が可決される可能性もある、と考えて総会に臨んだ。しかし結果は、予想に反して大差による「スト継続」であった。そこには、年も押しつまり、この時点でのスト解除、授業再開の意味はあまりなく、ともかく「年明けからの仕切り直し」という学生の感情が働いた結果であろうと思われた。こうしたしたたかな「計算」もまた、一般学生のものであった。おそらく私たち闘争委員会の説得が功を奏したためではなかった。

ストライキ突入70日を経過した11月27日、学生自治権の確立、日大の現状打破、全共闘支持を決議して、教室内泊まり込みを継続することになった。ただ医学部内において、積極的な反全共闘の動きはいまだ水面下にあるものの、私たち自身も一般学生同様、「このままストを継続していってどうなるのだろう」という漠然とした不安感は確かに存在した。ある意味では大学当局の「次の一手」を待っている状態であり、主体的運動方針の提起はできないでいた。もちろん大学当局は暗黙の留年恫喝を背景に時間稼ぎをして、ただ時の過ぎ行くままに任せるということが、消極的な、しかし最も強力な反全共闘運動になっていたのである。

このような明確な、居直り、時間稼ぎ、学生の疲弊待ちに対して、「打つ手なし」の状況はおそらく全国の大学、日大他学部において共通のものであったろう。大学を運営する理事会の構成、学内の教育制度がハードで固定的なものであるのに対し、学生は1年単位の流動的存在である。それゆえ、事態の固定化は自動的に学生の崩壊をもたらしていた。いわゆる労働組合とは異なり、専従の固定した闘争要員がいるわけではなかったからである。

12月に入り、医学部本館前では医学部演劇部の学生が100時間のハンガーストに入った。文理学部闘争委員会委員長Tは、12月31日のNHK紅白歌合戦に「紅組勝利」の応援電報を打ったという。この大学応援電報が読み上げられることはなかったが、どこまでいっても“遊び心”のある男であった。理事会、医学部教授会、そして私たちにもこの程度の遊びの心があれば、打開のための「針の穴」くらいは開いたかもしれない。

18 全共闘運動全国展開へ

日大全共闘はこの膠着状態に対し、全国で闘われている全共闘運動の結合を介して新たな方向性を示すべく、11月22日、東大安田講堂前において東大全共闘との「合同決起集会」(「日大・東大闘争勝利全国学生総決起大会」)を開催し、新たな運動の方向性の模索と現状の打開とをはかった。

全国のどの大学においても、個別大学闘争は行きづまっていた。すなわち、何の真摯な解決策を提示しないそれぞれの大学当局に対する全共闘学生の疲弊が広がっており、いずれの大学でも個別大学闘争の行きづまりをどのような形で突破できるか、その具体的な方向を模索していた。一部のセクトの活動家たちは、この行きづまりを当然のこととみていたかもしれない。なぜなら、より高次の国家体制の打倒と変革なくして個別大学の矛盾の解消はありえない、ということを前提にしたスローガンが現実味を帯びて喧伝され始めていたからである。

しかし実際には、これらの連帯運動は「まだ各大学の学園闘争は生きているぞ」という最後の意思をマスコミに示すという効果以上のものではなかった。東大全共闘においては、この集会のほぼ2か月後、東大安田講堂へ多くの学生が立てこもる最終決戦への準備期間でもあった。セクトを中心にして要塞化した東大安田講堂への「立てこもり戦術」という情報は、当時医学部闘争委員会にはまったく聞こえてこなかった。実際問題として「ノンセクト」のわれわれに「東大闘争」を含め、他大学の闘争状況などはほとんど入ってこなかった。のちに、ほぼ時を同じくして迎えることになる医学部内での「学生総会」(1月13日)に向けて、各学年での対応(「オルグ」と呼ばれる一般学生へのスト継続のための説得など)に追われていたのである。

翌年(昭和44年、1969年)1月18日には東大安田講堂へ機動隊が導入される。安田講堂を中心とするバリケード封鎖の学生たちのなかにどれほどの東大生がいたのか、いまとなっては問題にされるところである。セクト別に立てこもり部所を分担し、その立てこもり要員は非東大生、いわゆる「外人部隊」の立てこもり要員が多くを占めていたともいわれる。言い方を変えれば、他大学の学生が東大バリケード封鎖の内部に立てこもることは確かに「連帯」ではあった。しかし、この種の「連帯」は日大全共闘の場合には見られなかったことである。日大全共闘はそのときにも孤軍奮闘していたのである。皮肉な言い方をすれば、セクト中心の学生がそれぞれの個別闘争を放棄して安田講堂で「学園闘争」の最後の“見せ場”を演出しただけのような気もするのだ。

それはともかく、東大安田講堂での機動隊との攻防を、国民の多くがテレビ映像でもってその経緯を見つめていた。立てこもりに対する機動隊の暴力的排除は報道されたとおり、すさまじいものであった。火炎ビン、投石による学生の抵抗は機動隊の放水と講堂内バリケードの撤去によって、翌19日には終息する。

機動隊の側からすれば、伝統ある安田講堂をどの程度破壊していいのかという悩みとともに、頑強に組みあげられた階段のバリケードを取り除いて屋上に至る通路の確保がこの日の主な業務になっていた。安田講堂に至る東大構内の校舎はセクト別に守備範囲の校舎を決定していたが、それまでに機動隊によってすでに解放されていた。セクトによっては形だけの抵抗を示し、組織の温存をはかって早々に守備範囲の建物から退去するところもあった。

「国家体制の破壊」というセクト主導による目標は、目の前の不正に対し正義感をもとに立ち上がった一般学生にとって、何ともイメージしにくいものになっていた。個別問題が個別問題として解決不能になった時点で､その個別問題を支えている、あるいは個別問題を含んでいる体制なるものは、考えれば考えるほど抽象的・理念的になっていき、戦略目標に結びつくところの行動目標はどこか「風が吹けば桶屋が儲かる」の論理に近いものになっていくような気がしていた。「体制打倒」の論理は突き詰めていけばそのようなことにはなろうが、それはそもそもの動機からは感覚的に相いれないものであると、多くの学生は感じていた。この反論できない論理に対する生身の人間の態度決定、論理に対する感覚的違和のようなものが、私の中でもこれ以後徐々に大きくなっていった。

徹底した居直りと無視に対して現状打破の運動が機能しない、そしてストライキ以前の大学体制に回帰するわけにもいかず、いわば浮遊した状態で時間だけが過ぎてゆく、そんな状態であった。このどうにもならない状況は、そもそも何となくスト派になり切れない学生たちの“厭戦気分”をさらに後押しするものでもあった。
「11.22日大・東大闘争勝利全国学生総決起大会」は新しい運動の展開を求めたものではあったが、それ以上に「物取り闘争」を放棄した全共闘運動の敗北の一歩でもあった。そしてまた、それはセクトによるノンセクトラジカルによる個別学園闘争の切り上げを強いる大会でもあった。

19 セクト

「セクト」という言葉の由来を知らない。おそらく英語の「section」の略名かドイツ語かと思う。誰かがつくった造語なのか、正式の定義があるのか、はっきりしない。

昭和30年代、「安保闘争」*15の中で、社会党・共産党を中心とする反自民党政府の政治党派は、「安保反対・反アメリカ(反米)」を掲げて大規模な政治闘争を繰り広げた。当然、これらの政治党派は世界に先行する社会主義モデルケースと考えていたソビエト・ロシア、中華人民共和国などに対して、政治的・思想的に同調、あるいはシンパシーを感じている集団であった。そして、その政治党派の影響下にあった学生たちは、全国大学の学生自治会をその政治・思想的な実践の場として活動していた。

安保闘争のあと*16、その上部団体（革共同系、共産同系、第4インター系など反日本共産党系組織）は、闘争の敗北（結局、日米安全保障条約は国会で批准された）の「総括」をめぐって、組織分裂、党員の脱退を引き起こし、学生組織もまたそれに影響されながら新たな組織の分裂と再編に動き出していた。

これらの組織的な分裂、党員の脱退の背後には、彼らがモデルケースと考えていた先行する社会主義国家の独裁的政治支配体制、国民弾圧・支配のための硬直し腐敗した官僚機構、否定したはずの資本主義体制国家に比較して明らかな劣位の経済状態などに対する認識の差と、彼らが目指す国家へ到達するための戦略の差があった。そのような当初の社会主義の理念から逸脱した体制の元凶をロシア共産党のスターリンとその体制に求め、いまだこの国への幻想を抱いて否定の度合いの弱い社会主義者たちを「スターリン主義者」と呼んでいた。

その古巣のスターリン主義政党から飛び出したのち、分裂・再編を繰り返す上部政治組織と下部学生集団を、私たちは「セクト」と呼んでいた。しかし、セクトに属さない、特定のセクトの思想に同調しない、いわゆる「ノンセクト」の学生たちにとって、セクト間の政治思想の差などまったく理解していなかった。ノンセクトラジカルの多くの学生たちは、セクトそれぞれの上部団体の打ち出す政治戦術の過激さの差異、日本共産党からの距離の差異などを見ていたにすぎない。

東京・神田駿河台地区には日大闘争と時を同じくして、明治・中央・法政など、多くの学園闘争の中心があった。各大学の学部自治会はそれぞれが標榜するセクト名をすでに明らかにしていた。安保闘争時の学生組織「ブント」＊[17]の流れを直接汲んでいた「社学同」＊[18]や「ＭＬ派」＊[19]、革共同系の「中核派」＊[20]などが、その中心であった。

日大全共闘はセクトを標榜しておらず、活動家レベルでもいわゆる既存のセクトには属していない者が大部分であった。そもそも日大全共闘の運動は「話し合い」による政治的解決というものを前提にしておらず、体育会系学生の暴力に対峙するということもあり、「話し合い路線」を進む穏健な既成政党主導の学生運動とは肌色が合わないのは当然であった。

日大全共闘の中では比較的早い時期に「中核派」がその存在を明らかにしてはいたが（ヘルメットへの標榜）、全共闘会議の中で政治思想的にその戦略を主張することは少なく、大部分のノンセクトに対して彼らの思想を強要することもなかった。またそれぞれの学部闘争委員会として、思想的にそのセクトの理論に賛同して決定したものはなかったと思う。

その「メット」(当時「ヘルメット」をこう呼んでいた)をかぶる多くの学生は、活動家としてのいわば所属学部名であって、何か特別な思想教育や学習の結果ではなかった。そして、学生たちはそのセクト名を記したメットをかぶることに何の違和感もなかった。バイクに乗るときは「ヘルメットを」、デモに行くときには機動隊の警棒が危ないので「メットを」、そんな感じであった。少なくとも、あまりにもプリミティブな要求を持つ個別日大闘争の中で、「新左翼」と呼ばれる人間たちがその世界戦略を表に打ち出す必要もなかったのである。

佐藤首相の政治的発言(「大学運営におけるこのような決定手段を認めない」)と、それを受けた大学理事会による「9.30団交確約」の反古をきっかけに、全共闘の中に「セクト」を標榜する人たちが多くなってきた(少なくともヘルメットでの表明)。

「ML派」もその一つであった。しかし、そもそも隠れていたML派の人間が闘争の経過によってその思想的本質をカミングアウトしてきたというよりは、すでにカミングアウトされていた「中核派」(当時、上部団体の中核派は学生運動のみならず全国的な政治闘争においてその過激さが突出していた。昭和42年10月21日、「騒乱罪」が適応されたいわゆる「国際反戦デー 」における新宿駅構内への乱入事件でも主役であった)

に対抗して、いくぶんマイルドでおおらか路線を目指してこのセクトを名乗り始めた、という印象のほうが第三者の私には強い（実際には彼らもまたこの国際反戦デーの主役の一つであったのだが）。このML派が「造反有理」（謀反にこそ正しい道理があるの意）を叫んでいたことは事実であるが、「ブント」の流れを組むこのセクトが実際に毛沢東主義者たちであったかどうかは知らない。

安保闘争以来の「反米感情」とともに（この反米感情が右翼の「民族主義」と同調しないところが不思議なところでもあるのだが）、全共闘はこれらソビエト・ロシアをはじめとする既存の社会主義国家（スターリニズム国家）にも心情として同意していなかった。反スターリニズム（反スタ）は、反米とともに全共闘運動の全体をくくるスローガンにもなっていた。

他方、毛沢東の主導する中国の「文化大革命」に対する評価は、当時まだ両義的であった。体制としての共産中国を批判的にとらえながらも、毛沢東思想の道徳的・倫理的側面を評価し、また当時のソビエト・ロシアに対して批判的な政治意識を持っていたことから、「毛沢東主義者」に対しての「反スタ」のレッテルは確定的ではない時代であった。ただ、「造反有理」のスローガンのもとに、既存の中国共産党の制度を打ち壊しながら、共産党幹部をつるし上げていく「紅衛兵」の行動に、「造反有理」が日大闘争の過激さを正当化するのにフィットしていたかもしれない。しかし、この「文化大革命」を通してこの国が最終的に到達したものは、やはり共産党内部の権力闘争に過ぎないものであり、これまた否定されるべき反民主主義の体制であることが世界に知れるのはその後のことである。

私自身もセクトの掲げる究極的な理念の差異はまったくわからなかったし、あえてそれを勉強したこともない。私にわかるのは、セクトを標榜し、全共闘会議や全学的集会でわれわれの眼前に現れる全共闘メンバーの具体的な「人格」であり、それと彼らの属する上部団体（セクト）の提起する全国的な政治行動と戦術の過激さの差異だけであった。

集会や会議の現場に戻れば、彼らの顔や言動はとくに“赤く”もなかった。ちなみに医学部闘争委員会の中での個人的な議論では、やはり戦術的にマイルドな路線をとる革マル派、社青同解放派への心情的シンパもいたが、彼らがセクトとして活動を起こすことはなかった。いずれにしても、日大闘争は否応なくセクトのいう「帝国主義」と呼ばれる魔物との対峙を標榜せざるを得ない状況に達していたのである。

そういえば、デモ・集会の終わりにいつの間にか「校歌」は消え、「インターナショナル」*21が歌われるようになっていた。デモ時のヘルメットの色は法学部・経済学部を中心にした白地に「中核」が目立つようになり、そして少し遅れて文理学部の白地に赤の縦線、通称「モヒカン」がML派によるものであることを知るのはさほど後のことではない。ちなみに9月21日、西神田公園で行なわれた全共闘非難の「日本大学学生会議」は、集会後「校歌」を歌ってデモ行進をしたとある。校歌を奪われることなく、全共闘側もデモ後の歌を校歌のままで押し通していたならば、面白いことになっていたかもしれない。そんな“遊びの精神”は全共闘にはすでになかった。

20 膠着状態

全共闘運動が個別大学の枠を越えて全国に拡散し、国家体制の在り方を運動のスローガンの主体にせざるを得なくなったころ、当初あまりにひどい大学運営に対する学生たちの運動に同情的だった人びとが、いつの間にか運動を担う学生たちに対し、この国特有の湿布剤「赤」(共産主義者)を貼り付けてゆくのは必然であった。私たちが闘争を継続する理由をみずから問うている時、第三者が心の中で全共闘運動とそれを担う学生たちをどのように眺めていたのか、興味のあるところである。

ただこの国では、この種の抵抗運動や反体制運動に対して、傍観者たちの生理的嫌悪感を引き出すのに、この「湿布剤」はいつの時にも有効である。思想的レッテル貼りの貼付剤「赤」は国民・庶民(傍観者)から正論を主張する人間を識別するときに貼られるレッテルの色である。何がこの「レッテル貼り」を引き出すのだろうか。

当時「反スタ」を標榜する全共闘学生が世間・マスコミ・大学・教授会などから押された烙印、「赤」なる実態は、実はどこにも存在しないのであった。むしろ全共闘はかなり強力な反共主義であったのだが、当事者ではない国民から見れば、「反帝国主義・反スターリン主義者」なども共産主義の一種であり、そしていくぶんかでも体制的な思考の持ち主から見れば、みんな立派な「赤」であった。

さらに、議会制民主主義を前提にする日本共産党からは、過激な全共闘の運動が政府・体制からの機動隊を前面にした強力な警察権力の介入を誘発し、それを介してむしろ時の政権のより反動的な政策・支配を強める呼び水になるとして、全共闘運動およびその活動家に対し、「極左暴力集団・トロツキスト」の名前を貼り付けられていた。「敵の敵は味方」とはならないのである。つまり、全共闘は庶民と右からは「赤」、共産党からは「右」「反動」「真っ赤」の相反する評価を受けていたのである。

いわゆるマスコミ的な庶民から見れば、押しても引いても動かない体制に対しては、無理をせず、「あきらめる」ことが世間の常識であり、生きていく術でもあった。いまだ頑迷に抵抗運動を続ける学生たちは、どうも普通の“われわれ”とは違う何か特別な思想的な根拠を持っているのではないか、との思いが頭をもたげていたのではないかと思う。そのような人びとが学生の間、父兄の間、そして国民の間に増えていった。

これらの人たちから見れば、説得不能・修正不能は「体制」ではなく、これに対抗する「全共闘」の側がむしろ説得不能の対象に逆転しており、「やってもムダだよ」はいつの間にか自分の回帰した体制の安定を前提に、「やめるべきだ」の立場にシフトしていた。

私たちこそ、自分を突き動かしている何者かの「正体」を明らかにしたいと思っていた。「おまえたちも好きだなぁ」という親しい友人もいた。「性格だよ、性格のちがいだよ！」と断定する友人たちもいた。

そう言われればそうかもしれない。どうしても「何か」と問えば、それはやはり儒教的な道徳観・倫理観の自分自身に対する拘束性の強さの差、というのがいちばん近いような気がする。「人を殺さない」とか「盗まない」というようないわば絶対的な道徳基準があって、それは社会的立場、主義・主張、時代や地域によって判断が異なるものではない基準の中に、おそらく「不正を認めない」という基準も含まれており、このような道徳基準がどの程度強く自分を律するものであるか、ということが闘争継続の頑迷さの差になっていたのではないか。そういう意味で、現在の政治的・社会的不正に対する追及の緩さ、忘却の速さは全共闘運動以降の特徴である。

全共闘運動が学生、とくに大学生の反大学体制を介した反社会体制運動であったとすれば、労働組合にも属さず学生のような個別大学問題を持たない、いわゆる「市民の運動」としての一つに「ベトナムに平和を！市民連合」（通称「べ平連」）の運動があった。

1961年（昭和36）以降、北ベトナム（ベトナム民主共和国）、南ベトナム民族解放戦線*22に対して、直接軍事介入したアメリカ軍の攻撃は年ごとにその激しさを増し、グアムから飛び立つ戦略爆撃機「B52」のみならず、沖縄を拠点として飛び立つ戦闘機・爆撃機とその補給体制が無差別爆撃、枯葉作戦*23、ベトナム焼土作戦をより大規模なものにしていた。

ベトナム戦争は日本政府のアメリカへの加担なくしては遂行できなかった。反安保の余韻を残す日本社会の中で、「反ベトナム戦争」はイコール「反米・反安保」「反自民党政府」の立場を鮮明にすることであり、それはほぼ時を同じくして国内で燃え上がっている全共闘運動の反体制運動の視点に合流するものであった。

小田実*[24]、開高健*[25]、鶴見俊輔*[26]らによって組織されたこの組織も、緩やかな、自発的な結合の組織であり、「反米」「反政府」を強力に全面に押し出すこともなく、「ベトナム戦争反対」のスローガンに徹して運動を展開していたように見える。組織として全共闘運動がベ平連運動とクロスしたことはないと思う。どちらの運動も個別闘争運動を独立して走っていたのである。

1969年（昭和44）1月から7月にかけて、新宿西口広場においてギターを携えた若者たちが広場の柱を背にフォークソングを歌うという風景が見られるようになった。歌い手たちの数が増えていくとともに、それを聞く聴衆もまた増加し、毎週土曜日には通行人も巻き込み、その数、数千人にのぼるようになった。歌は自作自演のものから、当時流行していたフォークソング、そのうちのいくつかは「反戦フォーク」と呼ばれるものまで、さまざまであった。

この時代、アメリカ国内においても、ベトナム戦争反対を視点に据えた「反戦フォーク」がジョーン・バエズ*[27]、ピーター・ポール&マリー*[28]などによって歌われていた。彼らは声高らかに政治的なスローガンを掲げたわけではなく、またとくに反政府的なビラを配っていたわけではない。しかし、アメリカ国内ではこのあたりからベトナム戦争終息へ向けての政治運動が加速していった。

「西口広場反戦フォーク集会」（通称「フォークゲリラ」）に対し、取り締まる警察のほうでもさすがに「赤」とレッテルを貼るわけにもいかず、とりあえずこの連中に、体制を困らせる、すくなくとも体制の味方ではない集団として「ピンク」のレッテルを貼り、西口広場は「広場」ではなく「通路」であるとの法解釈を決め、「道路交通法違反」でこの歌うフォーク集団の強制退去に乗り出した。取り締まりというよりは意地悪で“追い出した”のである。この年（1969年）の6月28日のことであった。

論理的に言質を取られないような運動、それでいて間違いなく反体制であるような、いわば体制の脇の下をくすぐり続けるような運動は、ある意味で「論理」を追求して行きづまっている全共闘運動の盲点であった。ただいずれの運動も最終的な政治目標設定がないという意味では「一揆的」な抵抗運動に終わるのは必然であったかもしれない。

この時代、労働運動、既存の政党政治、全共闘運動、そして過激なセクト主導の運動など、いずれの運動によっても埋めることのできない体制の隙間に、市民意識による運動がほんの少し顔を出し、そしてその後、昭和・平成を通じてこの種の「ピンク色」の運動は二度と現れることなく消えていったように思われる。

21 医学部スト解除

昭和44年(1969)、年の明けた1月10日、秩父の宮ラグビー場で東大7学部の集会が開催された。明らかに東大での全学スト解除、留年の停止をもくろむ大学側の動きの始まりであった。

その直後の1月13日、日大医学部においても学生総会が開催された。留年を身近にした、そして明らかにストライキ解除の行動を露わにした5年生の反ストグループによる「ストライキ解除動議」がこの総会で可決された。先行きの見えないストライキ継続への厭戦気分は確かに11月の学生総会の時点ですでに学生の間に明らかであったが、「なんとなく正月明けまで」「いまスト解除しても年末では授業の再開・正常化は無理」という学生たちのノンポリ気分が勝っていたのであろう。学生たちもよく計算していた。

しかし、年が明けてみれば「留年」のリアリティが眼前に現れる。闘争委員会側もまた具体的な将来展望を打ち出すことができず、心の半分は「仕方ねぇな」という居直りの気分であった。もちろんストが終われば、医学部闘争委員会の主なメンバーはその後、留年どころか退学処分も「仕方ねぇな」という気分(覚悟というほど深刻なものではなかった)であった。

ストライキ解除を受けて、それまで存続していた学生委員会(医学部闘争委員会ではない)は執行部の辞職・解散を宣言、医学部全共闘もこれを「不信任決議」ととらえ、活動の停止を宣言した。擬制民主主義に従ったのである。

ただし、日大全共闘による「9.30団交確約」は生きており、この点については今後も医学部教授会を通じて大学本部にその実行を求めていくこと、そしてスト解除派が責任をもって今後の学生を組織していくことを付帯決議にした。そのため解散した委員会に代わって「代行委員会」の設立を要求した。あくまでも民主的政権交代であった。

「代行委員会」設立要求は、全共闘学生の反スト派学生への、せめてもの嫌がらせ要求でもあった。おそらくこの反スト派からなる代行委員会は医学部4・5年生が中心であり、進級すれば「平時」であっても委員会活動ができなくなる学年であることはわかっていた。それゆえ、スト解除後も学生組織として何もしない（できない）であろうという予測は、スト派も反スト派にも何となくわかっていたことであった。ただ学生組織が完全な空白状態になることは、名目上スト解除派も避けざるを得ないことであった。

反スト派もまたスト解除だけで、「正義」の全共闘運動を全否定することはできず、「代行委員会」なるものを組織して、運動を継続するための学生組織の立上げの約束をせざるを得なかった。ただ、代行委員（スト解除動議を提出した学生の主体）は4月以降「臨床実習」の待つ医学部5年生であり、残りの代行委員会委員はこれまでも学生委員会活動・闘争委員会活動も消極的であった4年生であったため、この代行委員会は実質上何ごとも行動することなしに、4月以降予想どおり消滅した。そしてこれが、日大医学部学生全体を掌握する「正規」の学生組織消滅の顛末である。

医学部闘争委員会もまた、この膠着状態に対して何の具体的な運動方針をも提起できずにいた。反スト派の実態がスト解除・授業再開のみにあり、彼らが学生自治組織の継続どころか何らかの闘争継続をしていくとはまったく考えなかったが、われわれの側も自身の行きづまりを一段落させるという意味で、暴力的抵抗、学部のバリケード封鎖への突入という戦術を考えることはなかった。

このあと「代行委員会」のお手並み拝見の時間がやってくるのであるが、想像していた通り、この委員会は「代行」の仕事、闘争の継続など“ハナ”(端)から実行する気はなかった。体制的人種であるということは、この種の無責任に対して何らの道徳的・倫理的な痛みを感じない人、「約束を守る」ということに対してなんらの「拘束性」を持たないひとを言っている。つまるところ、道徳的な痛み受容体がないのである。

かくしてスト派も反スト派も4月には集団留年もなく進級した。私は医学部4年生となった。「挫折感」というものは感じなかった。出席日数はスト派も反スト派も同じように不足なのであるが、スト派に対する「留年処分」が出なかったのは、やはりスト派学生の絶対的多さと、医学部闘争委員会の日大全共闘に対する“付かず離れず”の結果とみていた医学部教授会の「温情主義」の結果であったろう。

私たちを含む多くのスト派学生はこの全員進級に逆に、「エッ、本当にいいのかい?」というズッコケ感満載であった。考えてみれば昨年6月以降、私たちはまともな医学の勉強などしてこなかったのである。医学部もまたストップしてしまった「医師養成」というベルトコンベアの復旧・再稼働だけを重視して、ベルトコンベアの上の「材料の品質」などは考えなかったのである。

ストイックに「進級拒絶」という戦術アイデアが頭の中に少しも浮かばなかったのは、私たちもまた「体制にどっぷり」であった証拠であった。ただオメオメと授業に出て講義を受けるということに対する、ある種の自己への照れくささがあったのは事実であるが、のちに私たちを悩ます自己の在り方の問題、「自己否定」の想念にはこの時まだ至っていなかったのである。

22 モヤモヤとした春

東大「安田講堂」が機動隊との激しい攻防戦のすえ「陥落」（1月19日）するその直前、日大医学部においては学生総会で「スト解除」の決議がなされ、医学部における組織的闘争はいったん終了した。

この時期は日大全共闘にとってもまた、組織的な闘争継続が難しくなっていく時期であった。歯学部でのスト解除、生産工学部でのバリケード撤去（1月）、法学部・経済学部のバリケード撤去と当局によるロックアウト（2月）、農獣医学部・芸術学部・文理学部への機動隊導入（2月）などが相次ぎ、4月に入ると変則的ではあるが各学部での入学式が行なわれ、授業が開始され始めていた。3月には日大全共闘議長として闘争のシンボル的存在であった秋田明大が長い潜伏のあと逮捕された。

何をやっても動かない大学当局の居直りと、具体的な闘争方針が打ち出せない"手づまり"状態の全共闘との膠着状態は、学生の疲労感、状況に対する「あきらめ」の気持ちを増幅させていた。

大学側は「機動隊導入」という次の手段を残していた。それによってバリケード封鎖を解除し、ロックアウトで学生たちを大学の外へ追い出し、いったん大学を「無」の更地へ戻したのである。医学部においては大部分の学生が「無理やり進級」（オレたちは授業どころか進級試験さえも受けていないぞ）というヘンな処遇を受けたのである。なんのことはない、強制的な日常性への復帰であった。全共闘会議の席上、激しく国家体制を弁じたセクトの諸君はこのとき「プロの革命家」をめざしてどのような将来展望を抱いていたのであろうか。

6月に入り、いまだ闘いを続ける全共闘活動家によって、明治大学記念館講堂で「日大闘争バリスト1周年記念総決起集会」が2000名を集めて開催された。しかしそれは4月入学の新入生を全面的に巻き込むような活気あふれるものにはならなかった。

1月の医学部でのスト解除以降、予想された通り「代行委員会」(委員長5年T・I、副委員長5年T・N、5年H・M)は無活動のままであり、当然のように学生執行体は自然消滅し、問題の解決どころか医学部と交渉すべき学生側組織自体が完全に消滅したのである。

この状態はあらかじめ予想されたことであるが、ここからの「現状回復」の手段はわれわれにも医学部教授会側にもなかった。──だいぶ後のことになるが、学生組織が消滅したあと、学生たちが立ち上げたのは運動部・文化部の連絡機関としての「会」であった。実際上、学部からのクラブ運営補助金、施設使用などに関して、学生側の交渉窓口は双方にとって必要であった。学部としては、学生がクラブ活動に打ち込んでくれる限りにおいては、その組織としての窓口の正当性などは問わないのである。

望む・望まずにかかわらず、学生が自分たちの代表を自分たちで選んでいくという形式民主主義さえも、ここで消滅したのである。意図したものではもちろんなかったが、代行委員会はその意味で革命的であった。彼らは自らの手で、擬制民主主義を根底から見事に「解体」させたのである。

われわれスト派もまた「擬制」に乗っかり利用してきたが、医学部闘争委員会立上げのときにも従来の形式民主主義の組織を解体してできたものではなかった。その後、今日に至るまでこの状態の矛盾を感じ取っている学生はいないようである。ちなみに、学生委員会の「公印」はその後数年私の手元にあった。学生委員会が再建された暁には、その正当性と継続性を求めて公印を要求されれば手渡そうと思っていたが、そのような事態はやってこず、医師になって10年近くたった昭和56年(1981)、私の書斎のデスクの引き出しの奥でひっそりと眠っていたその「公印」を廃棄した。そこに、何の感慨もなかった。たまった古い手帳の廃棄と同じ扱いであった。

歴史の経過の中で擬制学生委員会になることはできても、最初から擬制学生委員会を立ち上げることはできない。「擬制」であっても何らかの、いくばくかの理念と手続きが必要であるが、その理念自体がすでに跡形もなく消滅していたのである。

季節も気分もモヤモヤしていた。桜は咲いていたと思うが、この年の桜の花の記憶はない。

医学部では4月から授業が始まり、処分もなくめでたく進級した私たちも、いちおう4年生の講義に出てはいたのであるが、どうにも座って講義を聞く気分ではない。主であるべき代行委員会の学生が不在の本館地下の旧学生委員会室を根城にして、無責任代行委員会への悪態と、何ごとも解決していない大学問題についての告発アジビラを印刷し、各学年の講堂、本館前の職員駐車場の車のワイパーにばらまく作業をいやがらせ的に開始した。

この時期のいわゆる活動家と非活動家の関係は微妙であった。依然として問題の本質が思想的・政治的なものではなく、倫理的・道徳的な次元にとどまっており、活動家・非活動家との間の感情的な乖離があったわけではない。また、わずか1学年100名程度のクラスではさほど“密”な学生生活上のコンタクトがあったわけではなかったが、互いに顔見知りであり、ストライキ解除後も表面的には何の対立することのない、これまで通りの授業のなかでの交友が続いていた。

しかし、ビラ配りを始め、個人的に今後の運動の方向を議論してみると、非活動家の厭戦気分は明らかであった。「落とし前」が未だついていないことへの怒りはあるものの、どうにもならない不条理に対してこれ以上の行動はムダであり、「意味がない」という気分が蔓延していたのである。一方、無責任な代行委員会への怒りを持ち続けている活動家は、ストライキ解除以前の状態に比べれば明らかに選別化され、少数化していた。

そんななか、体育会系学生による暴力事件のなかった医学部において“唯一”の暴行事件が起こった。私はそのとき何かの用事で叔母の住む下宿に帰っていた。

それは5月の連休を前にした4月下旬のある日、闘争は中断、連休を前にして学生もノンビリ帰省に入ろうかという時期であった。旧闘争委員会の数名が医学部本館前を通りかかったところで体育会系クラブに属する学生たちと鉢合わせし、口論となった。そもそも、この連中とこんなところで議論したところで何も解決するものでもないのだが、運動部の連中にすれば、“負け犬”の闘争委員会グループが大きな顔をして医学部本館前をウロウロするのが許せなかったのであろう。

首謀者の運動部キャプテンSはもともと日頃の言動が医学部には珍しく体育会系の男であった。彼の暴行をきっかけに、同行していた部員数名が闘争委員会委員数名に殴りかかった。素手ではかなわない。何人かは逃げ、何人かはそこでとどまって、じっと暴行に耐えた。ひと通りの暴行の嵐が過ぎて体育会の面々は引き揚げた。さいわいに後遺症を残すほどの暴行ではなかった。

この運動部の学生たちは「右翼」であったろうか。おそらくそうではなかろう。無条件体制派の学生の中には無条件反スト派がおり、彼らにとっては感情的・生理的に「反体制」「スト派」「理論家集団」は嫌悪の対象なのである。

よく考えてみれば、この種の人種が一般国民のいかなる集団・組織においても一定の割合存在することが、この国の問題かもしれない。「理論右翼」「理論的体制派」という人種は存在しないのかもしれない。

のちのち考えてみれば、この時期は医学部闘争の分かれ目であった。衰退していく日大全共闘運動と各学部でのバリケード封鎖の強制撤去は確実に進行していた。全国的に見ても個別の大学闘争は、ほとんどすべての大学で“ジリ貧”状態であった。全体を眺めてみれば、大学側に対する激しい抗議行動は明らかに現実的な意味を失い、戦術としてのバリケード封鎖は解除の一方であった。他方で、何らの解決策を示すことのできない（謝罪もせず居直るだけの）大学当局から提起される回答の多くは、物取り闘争を否定する全共闘側から見ればすべてが「懐柔策」として見えた。そうした膠着状態のなかで学生たちの疲弊・倦怠感・あきらめが広がっていった。

医学部にあっての「代行委員会」なるもの、その構成員たちがはたしてどれほど自主的なものであったか、どの程度に教授会の内意を汲んでいたのか、そして教授会はスト後の学生組織をどのようにしようと考えていたのか、今となっても定かではない。本当にまっさらの何の窓口もない学生集団でよいと考えていたのか。この“モヤモヤとした春”は学生にとっても、学部・教授会にとっても、その後の学部の在り方をめぐる重要な分かれ目の季節であった。

23 再始動

5月の連休が明けて、私たちは再び行動を開始した。

5月29日、私たちはまったく「更地」になってしまった学生組織に、新たに学生委員会を立ち上げた。メンバーはより先鋭化（少数化）した昨年までの3闘委、2闘委のメンバーで、委員長に立田（4年）、副委員長に五島（4年）、石井（3年）、書記局長に私（西成田、4年）が就任し、すでに授業を開始している学生たちに各学年闘争委員会の「再建」を呼びかけた。

当然予想されていたことではあるが、医学部教授会はこの新学生委員会を「認めない」との通告をしてきた。理由は、「学生総会を経ない委員会は認めない」ということであった。形式民主主義上、それはそうではあろう。しかし、実際には代行委員会が何ごともなさずに進級し、学生委員会が霧散した状態では、総会を招集すべき学生組織はすでに消滅していたのである。

この時期、私たちの考えていたことはとくに目新しいことではなかった。1年前に感じていた大学の不正問題が解決することなく“うやむや”となりつつあり、それに対する医学部教授会の態度も「現状復帰」のみで、何ら納得のいく結論が得られていないことに対する怒りであった。さらにスト中止だけを目的にした代行委員会に対する「意趣返し」の意味も強かった。「スト解除だけしておいて、だれもなんにもしてねぇじゃないか」という感じであり、とり外されたわれわれにすれば、「あの落とし前はどうつけてくれるんだ」という、教授会と代行委員会メンバーに対する「恨み節」であった。

そういえばこの時期、高倉健主演のやくざ映画の「落とし前をつけてくれる」というセリフがずいぶんと流行っていた。全共闘学生はやくざ映画の高倉健が大好きであった。観客は沈黙が常識であったあの時代でも、深夜映画館でこのセリフとともにドスを引き抜いた高倉健が登場すると、「健さん！」の掛け声とともに観客から拍手が沸いたものだ。

多くの学生たちの気持ちはどうかといえば、依然として大学にも医学部教授会にも不信感と否定的な感情がいまだ色濃く残っていた。ただ1年前の状況とは異なり、倦怠感のほうが「正論」の追求よりまさっており、「しょうがねえなぁ、あいつらまだやるのか」という雰囲気であった。明らかに傍観者的な態度に変わっていた。

1月のスト解除以前を「第一次医学部闘争」というならば、今回開始された「第二次医学部闘争」もまた学生たちの正義感に依拠したものではあった。他方、多くの学生の中の「いまからまたか」という、押しても引いても動かない否定的な状況に対しての精神的倦怠感・疲労感・あきらめを伴っていたことも否めない。「第一次」と「第二次」の境界、それは時間的・時系列的な区切りというよりは、闘争が単なる正義感を脱して、問題の膠着状態の根底にある、大学を支えている「体制全体」（システム）の問題に突入せざるを得ないという、漠然とした考えが浮き沈みしていたことであろう。

しかし、この時点でもまだ医学部において、個別の大学・医学部の問題を通り越して社会体制の問題へ昇華させていくという意識、いわば活動家の「セクト化」はみられなかった。一方、多くの学生たちが「不正もまた社会・体制の常」という大人の心境で闘争から脱落していく一方で、その「大人の心境」に回帰するのではなく、闘争継続の根拠となるものが何であるのか、頭の中にぼんやりと現れては消える状態が、私の頭の中で渦巻いていた。問題の根幹が「体制」に根差していることは間違いのないことではあるが、政治理念としての左翼思想は、具体的な自分の闘争の根拠、自分を今後動かしていく機動力としてまったく意味をなしてはいなかった。多くのセクトの掲げる方針もただ「体制の打倒」を叫ぶだけで、最終到達点、あるいはその理念を具体的な運動の中で提示することはできないでいた。おそらく運動を継続する中で必然的に、自然に出現してくる次なる理念をもって、次なる運動へ展開していくという弁証法的観念論としてしか、私には見えなかった。

かといって、依然として眼前に見えてくるものは、セクトによる明日、明後日の戦術の違いだけであった。ある意味、それは学園闘争の放棄でもあった。もちろん私自身も、落とし前をつけてどこに向かうのか、落とし前をつけずに「不正もまた社会・体制の常」に戻るのかを、思想的にも感情のうえでも整理できているわけではなかった。要するに「不正」に対する正義の闘争も、第二次闘争開始の時点では第一次闘争の時と比べて、精神的にさほど天真爛漫な闘争ではなくなっていたのである。

「やらねばならぬ」という意思力が必要になっていた。その意志力の起動に必要なものが思想的な進化なのであろうか。のちに問題となる論理的正当性による不断なる二者択一によって行動を継続するにはどこかに無理が生じ始めていたのである。

24 第二次医学部闘争

昭和44年（1969）4月に入り、日大の多くの学部では機動隊導入によるバリケード封鎖解除が始まり、その後“なし崩し的”に授業が再開されていった。日大全共闘自体がこの時点で実質上、組織的な運動ができなくなっていた。もちろん日大各学部での学部当局に対する抗議行動は続いていたのであるが、「入学式」「授業再開」は複数の学部に広がり、学生もあきらめと疲労を背景にして、これらの抗議運動は徐々に動員力を失っていった。他学部でも一部の学生指導者の処分とともに、大部分の学生に対しては医学部同様、「無理やり進級」と「無理やり卒業」によって無垢の新入生との入れ替えが起こっていた。

第一次医学部闘争において、医学部闘争委員会が日大全共闘の運動に具体的に寄与できた部分は少ない。むしろ、ストライキ突入にしても、全共闘主催のデモや集会においても“最後尾”から付いていったという感じであった。

しかし、この「第二次医学部闘争」においては、むしろ日大全共闘運動の推移とは関係なく、医学部は独自に運動を開始することになったのである。おそらく日大全共闘の学生たちもこの「医学部第二次闘争」を詳細に知るものはいなかったのではないかと思う。その背景には、医学部全共闘の闘争継続動機に代行委員会の無作為に対する追及という全学的なものではなく、より医学部内部への闘争目標が加わったことがある。さらに、それによって1.13のストライキ解除以前にはあった医学部に対する学生側の窓口が消滅し、教授会との間の新たな交渉窓口を開いていかねばならないという課題ができたことである。

一方、日大全共闘も各学部での“なし崩し”の授業再開やロックアウトに対して組織的な対応ができず、各学部での状況収集には手一杯であったことなどが関係している。われわれから全共闘側に積極的に支援を求めることはなく、また全共闘側からの具体的な情報収集のコンタクトもなくなっていた。そのため、第二次医学部闘争は全学的な闘争の一部というより、医学部の「内部闘争」になっていたのである。

6月7日、新医学部学生委員会は医学部教授会に公開質問状を出したが、その内容に目新しいことはなかった。日大全共闘要求項目の本部理事会への要求は現在どうなっているのか、代行委員会が意図的に消滅してしまった現在、医学部教授会の学生への説明をどのような形で保障していくのか、凍結状態にある学生会予算の解除などをめぐって、医学部教授会に対し「大衆団交」を要求したのである。教授会もまた“ヤレヤレ”と思ったことであろう。

さほどの時を経ずして医学部教授会からの回答があり、「医学部長を除く教授会執行部が話し合いの場に参加する」とのことで、6月24日、医学部4番講堂で「話し合い」が持たれた。教授会としては、「新学生委員会はそもそも学生により選ばれた正規の学生組織ではなく、交渉の相手ではない」との見解をすでに出したうえでの話し合いの場への参加であった。しかしまったく空っぽになってしまった学生側組織であれば、教授会としても何一つ学生とコンタクトの取りようがなく、困惑の状態ではあったろう。当惑しながらもともかく出てきたのである。

そこでの話し合いの内容は、「その後医学部教授会は大学本部と9.30団交での確約と実施をめぐって交渉しているのか」「今後大学本部と医学部はどのような形で交渉を進めていくのか」「新しい学生委員会を認知して今後どのような話し合いを進めていくつもりがあるのか」など、新しい学生委員会の認知問題を除けば、それまで続けられてきたことの繰り返しであった。ただ私たちも新しい学生委員会と医学部との間で具体的に今後どのように関係を続けていくべきか、というような提案もできないでいた。

「話し合い」の結果は明瞭であった。何一つの確約もなく、私たち学生が激した調子で何度質問をぶつけても、ゼロ回答というより「不明瞭回答」の繰り返しであり、午後から始まった「話し合い」は夜間に及んでも何一つ進展なしであった。途中、学生差し入れの弁当があったが、さすがに執行部の教授たちはそれを口にする余裕はなかった。午前零時近くになって、集会は自然解散となった。当初、階段教室を埋めていた100人ほどの学生も時間がたつほどに少なくなり、最後は委員会執行部と一部の学生が無言のまま教授会との"にらめっこ"の状態であった。この「話し合い」は、要するに学生にとっても教授会にとっても、次に起こる行動へのアリバイつくりのワンステップでしかなかった。全共闘運動の盛り上がりとともに、一時大学本部への批判的見解を示していた医学部教授会は、今明らかに大学本部理事会の代弁者の立場にシフトしていた。

この話し合いは実質的に、私たち学生による教授会執行部のカンヅメ話し合いであり、出席してきた教授会執行部も何の回答・解決策の持ち合わせもなく、このようなカンヅメになることを前提にしていた。しかし、このカンヅメから逃げ出す様子もなく、また医学部職員が救出に入ってくる気配もなく、ある意味過激派学生の暴力の程度を確認するような気配でもあった。いまもって、あの団交・話し合いは何であったのかと思う。

数日後、医学部教授会は「医学部学生会への疑義」と題する声明文を出してくる。例によって例のごとしであるが、具体的問題解決のステップの提示ではなく、学生自治組織としての「学生委員会」の正当性に関する疑義のみであった。

そもそも全共闘の組織は自然発生的なものであり、どこかで何かを決議したからやるというようなものではないことを前提にすれば、われわれの感覚としては「何をいまさら」という感じであった。革命政権のように、現にある自治組織を力で打倒したわけではなく、それまで存在していた自治組織が自然消滅（意図的消滅）をしてしまったための自治機関再建なのである。ちなみに、医学部における「自治機関」はその後50年を経た現在もまったく存在せず、クラブ活動の「調整機関」が残存しているだけである。

おそらく「代行委員会」が何らかの組織的行動を継続していればそれが闘争委員会の要求とはかけ離れたものであっても、この「第二次医学部闘争」はなかったのではないか、とも思う。彼らの多くは6年となり、医師生産コースのベルトコンベアの上に逃げ込んでしまい、後からついてくるかもしれない学生を振り返ることはなかった。われわれの怒りの対象は理事会・教授会に加えて、だまし討ちの代行委員会にまで及んでいた。

25 内面に向かう闘争の動機

「いまからまたか」という倦怠感と「あきらめ」をもって医師生産コースに戻っていく学友から、私たち再闘争グループに対しての大きな反発はなかった。しかし、ベルトコンベアに戻り切れないわれわれ再闘争グループは、確かに「第一次闘争」の時よりも少数化し、先鋭化していた。

ただその先鋭化は必ずしも思想的に第一次闘争から何かを得た結果ということではなかった。このような大学、医学部の敷いたレールに乗ってオメオメと医者になっていくのか、医師になっていってよいのか、という「己」に対する突きつめ、意地のようなものが他の学友よりも少し強かったのである。

この頃、のちになってより具体的に現れてくる「自己否定」の想念が私の頭の中にもたげ始めていた。この自己否定の想念の有無が、第二次闘争を担う人間と、倦怠感・諦観で無気力になっていく学生との“差”になっていったかもしれない。必ずしも大学理事会や学部教授会の在り方を問う問題に向かわず、自分の内的な行動の基準・動機（「この不正を見逃して君たちはオメオメと日々の生活をしていてよいのか」）をめぐっての葛藤へ向かうところは、全共闘運動を担った者たちの本質であったが、第二次闘争開始の頃にこの意識はますます強くなっていた。

そしてそれは、われわれの思想・心情を言葉でもって相手にていねいに説明し、相手を納得させるような行為は時間的にも人間的にもすでに「無意味」（当時、この無意味さを「消耗」

と称していた）と感じ始めた時期でもあった（この「消耗」なる言葉はよく使用された。時間的にも考え方の上でも、討論の相手を説得することが無駄であり、そもそも基本的な思想の立脚点が違うときに議論の「強制終了」を宣言する言葉であった）。この他者に対する説得をあきらめた私たちの行為は、相手から見ればなおさら「過激」「暴力学生」に見えたことであろう。だが、私たちから見てこの種の「消耗」を強いる人びとが、今なお世の中のあちこちに残存しているのだ。

この第二次闘争開始の時点においても、教授会・大学理事会ともに私たちの要求する項目を受け入れる状況にはまったくなく、第一次闘争の時よりもより高圧的に押さえつけてくることは目に見えていた。

私たちも具体的な妥協点をもって交渉の運動に入ったわけではなく、ましてその負け戦を通り越して、体制変革を目指す運動に至ることができると自覚していたわけではない。冷静に考えれば、第二次闘争の究極的な破綻は自明なことであったが、やらねばならぬ心境は「男一匹やくざ」の心意気に近いものであった。

当時、「ボス交」という言葉があった。一般的には、労働組合の幹部が賃上げや待遇改善をめぐって会社側との団体交渉に行きづまったとき、それぞれの幹部が少人数で話し合い（それも多くは非公式に）、それぞれの立場の「妥協点」を探って争議を終結させるための水面下交渉を意味していた。それは多くの組合員から見れば、自分たちの要求の貫徹を放棄した「裏切り」であり、会社側にとっては都合のよい「妥協」であり、また水面下交渉自体が民主的運営を前提とする労働組合から見れば「裏切り」行為であった。

学生運動においてもこの「ボス交」という言葉はよく話題にのぼったが、全共闘運動の成り立ちから見て、どこかで「着地点」を見いだして妥協するという発想そのものがなかった。おそらく教授会の側では、適当な学生代表をピックアップして「闘争終結の手順のすり合わせをしたい」と思う局面を狙っていたのではないだろうか。だが、「代行委員会」はその役割を放棄していた。

立場が違っているとはいえ、「医学部」という狭い組織の中で、入学以来何かと顔見知りの教授・教職員の中にはそのようなルートを求めて探りを入れてくることもないではなかったが、具体的な動きに至ることにはならなかった。それが、温存すべき組織を持たない「非セクト」の本質であったろう。

再び訪れた6月11日……。1年前のこの日、経済学部前でのデモを境にして日大闘争は爆発的な展開を見せていくことになる。この日、「日大闘争バリスト1周年記念総決起大会」が開催され、2,000名以上の学生が神田三崎町をデモった。しかし機動隊による規制により、数十名の逮捕者を出して決起集会は終わる。もはや1年前の圧倒的な学生の力と熱気はなくなっていた。

一方、大学当局による各学部でのロックアウトは確実に進行していた。夏休みを控え大学当局も一休み、学生も厭戦気分で当初の正義の追求よりもともかく何か安定した大学の状態を期待する気分が出始めていた。医学部においてもダラダラとした授業がこの時期継続していた。私たちもまた、「大学の不正」「全共闘の要求貫徹」「医学部教授会の無策」「代行委員会の責任放棄」を追求するビラを職員駐車場の車のワイパーに挟み、またそのビラを授業中の学生に配り、少人数による“ほそぼそ”としたクラス討論を授業終了後に繰り返していた。

1年前と異なり、すでにクラスメートの抗議行動への参加勧誘は厳しくなっていた。全共闘の主催する集会やデモ、医学部内での集会への勧誘では、参加を渋るクラスメートへの説得は「言論による恫喝」と自分自身さえも揶揄するような激しい言葉になっていった。その論理は依然として闘争の始まった時点と同じであり、「不正・不条理を許したまま医師になっていくことに恥ずかしさを感じないのか」という相手への突き詰め要求のような内容ではあったが、当初とは異なり、反論はできずとも同意の態度は明瞭ではなく、それに対するわれわれの説得はすでに論理的というよりは、言葉の激しさを伴う「感情的」なものになっていた。

それはそうであろう。そもそも「ものの道理」では完全に対応できず、体の動かない学友をストに引っ張りだす手段はなかった。「馬を水辺につれていくことはできても、水を飲ませることはできない」「赤い夕陽を見て感動しないやつに感動しろと言っても言葉は意味をなさない」という状況がクラスメートとの関係の中に蔓延していたのである。そんななかでも反対に、運動参加の学生に対する運動非参加の学生たちの「申し訳のなさ」、「負い目を持った気分」は、その後も続く彼らとの交友の中で決して消えてはいないことをしばしば経験した。かつてのスト同調の学友が経過の中で積極的に反スト派になっていったわけではなかった。

夏休みを控えてキャンパスの中は何事もなく、無風状態であった。われわれスト派、闘争委員会メンバーもただ梅雨の明けた青い空を見ながら、夏休み明けに向けて「これから具体的に何事をなすべきか」を、うすぼんやりと考えていた。休息の日々といってもよい。

この時点でも「再建学生委員会の認知」とその後の継続的「学生自治権の確立」という運動、いわゆる「物取り闘争」の考えは頭に浮かばなかった。おそらくここが「異議申し立て運動」に始まり「抵抗運動」を継続しながらもセクトのような最終的な「社会体制」(あるいは学生自治会の理念)をゴールに設定することができなかった運動の限界であったろう。

ともかくも、夏休み中に大学・学部からの何らかのアクションがあった場合に備えての準備として、各学年闘争委員会の責任で数名の連絡員を夏休み明けまで学内に「常駐」することを決めただけで夏休みに突入した。

「日大全共闘」もこの間大きな集会・運動はなかったが、やはり大学は学生不在のキャンパスを狙い撃ちし、7月末には農獣医学部が大学によって逆バリケード・ロックアウトされ、封鎖状態となった。夏休みで学生不在を狙った大学側の策動であった。

すでに「日大闘争」はマスコミ社会面を飾る記事ではなくなっていたが、珍しく「医学部」単独の日大闘争を聞きつけた大手メディアのジャーナリストが立てこもり中のプレハブの実習棟を訪れたのはこの頃であった。

医学部ではほとんどの学生が帰省し、一部の体育会系クラブの学生は「東医体」と称する東関東の医科系総合体育会*[29]への参加で消え、あるものは東武東上線・大山駅前のキャバレーの呼び込みのアルバイト、二種免許を持つスト派のT君はタクシー運転手のアルバイトに勤しんでいた。私自身も大学留守番日の日程を確認して夏休みに入った。昨年の夏は"あってなきがごとし"であったから、長期の休みは本当に久しぶりであった。

26 日和見旅行

アメリカ帝国主義はすごいな

どんな経緯であったか記憶は定かではないが、ちょっと東京から逃げ出したかったのであろう、私は友人の小俣と蔭浦の3人で奄美大島へ旅行することになった。小俣はこれまでの長きスト仲間、蔭浦はスト派周辺のクラスメートであった。

旅行代理店を通したわけではない。なぜ奄美大島であったかも、だれがこの小旅行を立案したのかも記憶にない。ともかく3人は東京駅から夜を徹して鹿児島へたどり着き、現地で直接「奄美大島行き」の小型定期船を見つけ、さらに長旅（夜を徹して）で島にたどり着いたのである。宿も予約なしの飛び込みであった。

べつに“避けた”というわけではなかったが、大学や医学部におけるストライキの話も、われわれが今後どうしていくのかというような会話もなかった。宿で寝転がりながら、ある会話の中で、平等を装う革命戦争の中でも銃器を持って死の危険を冒す最前線の兵士と、後方の安全地帯で作戦指揮を執る上官とでは命の平等という観点から革命の理念に照らして矛盾があるのではないか、というような議論になり、会話が進んで資本家と労働者、デモを指導する人とゲバ棒を持つ人、最後に金を稼ぐ亭主とそれを使って家庭を守る主婦の平等性の話に至り、何の結論も得ず眠りについたことを覚えている。宿の中居さんから「これから宴会場でハブとマングースのショーが始まりますので見に来ませんか」という誘いがあり、どこかの団体客がオプションで特別に組んだ小さなオリの中のショーを遠目で見させてもらった。

結局、向こうで何か観光したわけではない。宿周辺の海をブラブラし、持っていたパンフレットに記された「ハブセンター」でヘビを見物しただけであった。なんとなく医学部の周辺から離れたかったのである。

奄美大島でのもう一つの思い出は、滞在の2日目のことである。アメリカによる人類初の月面着陸「アポロ11号」の映像がテレビで長時間放映されており、これを宿の畳の部屋に寝転んで終日ながめていたことである。テレビを見つめながら、現に置かれている私たちの日々の行動や心の閉塞感と現代科学の技術の粋を集めたロケットによる「月面着陸」という人類の未来に向けての進歩がどうしても相容れず、何か出来の悪いドラマを見ているようで、単純な感動は呼び起こされなかった。小俣いわく、

「アメリカ帝国主義はすごいな」

「うん、そうだな」……。

これだけであった。

往きとまったく同じ交通の手段で帰り、猛暑の東京に着いたときは3人とも無一文、身も心もくたくたであった。

その数日後、私は茨城の実家に帰省した。

親父もおふくろも相変わらず忙しい診療を続けていた。ともに朝9時から押し寄せる患者さんの診察、投薬（当時は院外調剤薬局などなかった）、受付・会計事務で忙しく、午後遅く診療を終えて昼食のため台所兼居間に戻ってきて30分も休めば

親父は往診に出かけ、おふくろは午前の診療の残務整理に戻った。私はこれ幸いと朝寝に昼寝。叔母の作ってくれる昼食を食べれば2階に上がって読書三昧。往診から帰った親父は再び外来診療へ。別に互いに避けていたわけではないが、いわゆる「親子の会話」というようなものはそもそもなく、しかしテレビや新聞で報道される「日大紛争」の情報は両親に入っていたと思う。が、親父もおふくろも何も言わなかった。

「古田さんもひどいわね」……。

これが何かのおり、おふくろから聞いた唯一の日大闘争に関した言葉であった。

両親ともに何かを言いたかったかもしれない。言うべきこともなかったのかもしれない。私から大学や医学部の状況を説明することもなかった。言ったところで息子の状況や行動が変わると思えなかったのかもしれない。私もまた何一つ現在の自分の状態を説明することもなかった。両親は私を説得しても無駄と考えていたわけではなく、むしろ「説得すべきではない」と考えていたのだと思う。おそらく両親もまた葛藤の中で戦っていたのだと思う。

帰省中、私は昨年ハタチ（20歳）になったとき「なんでも好きなものを買え」といって親父がくれた1万円で日本橋・丸善で買ったSaetzの『Cell Biology』を黙々と訳して過ごした。そして1週間ほどで私は東京へ戻った。

「帰るよ」と調剤室に立つおふくろに挨拶したときにも、「気をつけてね」と言ってくれただけであった。駅まで車で送ってくれた親父も、最後まで闘争のことは口に出さなかった。息子の学生運動を止める親、という世間で最もよく見られるパターンの親子関係では確かになかった。しかし親の立場では息子の行動に対し、抑制をかける方向での一言でも言いたかったかもしれない。ただ闘争の動機を見れば「ストップ」をかけるべき言葉が見つからなかったのであろう。父も母もインテリとして踏みとどまったのである。

「元気でな」

「うん」……。

常磐線の急行で郷里をあとにした。

大学もまた、このあいだ何事もなく、閑散とした状態であった。東京育ちのスト組でどこへも逃げ場のなかった岡田がニヤニヤしながら一言、「十分に日和ってきたようだな」……。

27 医学部ストライキ再突入

夏休み明けの9月3日、学生委員会は「学生総会」を招集し、その場で医学部教授会に対しての「大衆団交」を要求するとともに、要求が通るまでの「無期限ストライキ」を決議した。この再建学生委員会に対して、学生から組織的な正当性を問う声はなく、総会ではむしろ消滅した代行委員会の不誠実をなじる声で終始した。

この年の1月、「スト反対」を唱えてスト解除動議を出した主に5年生を中心とするグループは解除動議が可決されたあとも、「代行委員会」と名づけられた学生委員会を組織し、少なくとも従来の学生委員会とともに、ストライキ以外の戦術で教授会と話し合い、これまでの医学部闘争委員会の主張を訴えていくはずであった。もちろん、これは彼らの留年をしたくないという行動の裏にある「建前」であり、実際彼らは学生委員会としての活動を何一つすることもなく、また次世代の学生委員会を組織し引き継ぐこともなく、無事6年に進級し、去っていったのである。残されたところは学生組織の存在しない「更(さら)地」であった。

私たちの要求は相変わらず「日大全共闘要求5項目」であり、その要求を医学部教授会が大学本部に対して要求・交渉することを求めていた。何一つ変わらないといえば変わらない。教授会もまた、変わりようがなかったのである。

お互いに一点たりとも変わりようがないことを前提にした闘

争は、冷静に考えれば弱い権力の側の「降伏」しかないのは自明ではあった。「それでもまだやるか」という問いに対する心の中での煩悶に、「自己否定」という命題が具体的に発生してくるのはこの頃からである。

9月8日、私たちは約400名の学生でもって、初めて板橋病院前のバス停周辺で「医学部闘争委員会」としてヘルメットデモを行なった（この時はまだ十分な動員力があった）。このデモは一段と進化した闘争の形態を医学部当局に示し、また闘争の現状を地域住民に知らせる手段でもあったが、何よりも「ヘルメット」という象徴的な姿と、医学部教授会に対して話し合いを乗り越えて、力による現状打開を訴えるデモンストレーションでもあった。

10月1日、教授会との団交予備折衝は想像した通り、何の結論も進展も見られず、流会となった。しかし、私たちのヘルメットを着用したこのデモンストレーションは示威活動としての大きな跳躍であるだけではなく、医学部教授会にとっても一つの決断のタイミングであった。激しい中にも「医学部一家」と呼ばれるような雰囲気の中での闘争、大学本部理事会をターゲットにしているが、闘争目標として医学部教授会あるいは板橋病院の機能をターゲットにはしてこなかったこれまでの闘争に対し、今回の病院前でのヘルメットデモが教授会の見方を大きく転換することになったことは間違いない。そしてそれは、「いつかはこいつらもわかる」と思っていた学生たちが、「いつになってもわからない」「ひょっとしたら、本当はこいつらは裏では極左暴力集団ではないか」と思い始めた転換点であった。

28 ロックアウト

10月19日、医学部へ通じる門はとつぜん数メートルの高さのジュラルミン製の金属板で取り囲まれ、校舎はいわゆるロックアウトの状態となった。医学部当局が医学部正面玄関に通じる通路をロックアウトしたのである。それまでは医学部内にあった学生委員会室、医学部本館内講堂、教室、医局に入ることは自由であった。

医学部全共闘はスト再突入後に医学部本館のバリケード封鎖を考えていたわけではない。むしろそれまでの「授業ボイコット」に近い闘争戦術を考えていた。ただ日大全共闘運動が新たな打開策を見いだせず、なし崩し的に各学部のバリケード封鎖が解除されていく中で、“付かず離れず”の関係にあった医学部全共闘が「単独」でストライキに突入したことは、当局にかなりの驚きをもって迎えられたに違いない。この医学部単独での再ストライキ突入は全共闘会議では報告されたが、他学部の一般学生に広く知られるニュースではなかった。また、全国紙で報道されることもなかった。すでに動員力を失った日大全共闘の全学的な集会が、数もその規模も小さくなってきた時期であった。

この金属の壁の建設は機動隊による防御のもとで行なわれた。医学部に初めて機動隊が導入された日である。ジュラルミンの壁の隅っこの通用門のような出口から、中にいた私たちは追い出されたのである。このあと、ロックアウトの壁は機動隊ではなく、大学から依頼された警備会社の屈強な男たちによりガードされることになる。それも相当に屈強な……。

10月23日、医学部闘争委員会は大学近くの公園に結集、全員ヘルメット着用のもとに、ロックアウトされた医学部正面の壁に向かってデモを行なった。ゲバ棒は持たず、素手であった。80名ほどの人員であった。

当然のことではあったが、ロックアウトの壁と通用門を守るガードマンとのぶつかり合いになった。白地に「醫」のマークを入れたヘルメットをかぶり、金属製の壁の前でガードマンと衝突したのは40人ほどであったろうか。数度のぶつかり合い、もみ合いのすえ、近隣の住宅地の中の小さな公園に引き上げたとき、何人かの学生はガードマンの警棒で腹を打たれ、下腿を打たれ、私は下から突き上げられた警棒で顔面を打たれ、血まみれになっていた。

医学部正面はバス停に面しており、多くの学生、近隣の住人たちがすぐ近くでこの突撃劇を見ていたが、ガードマンの暴力はたくみで、50センチほどの警棒は周辺の見物人からは見えないよう、ぶつかり合う集団の下側から突き上げられ、まわりの人間からは警棒を振り回す様子が見えないようになっていた。このガードマンたちも大学当局の「意」を受けた“その筋”の方々であったことは想像に難くない。

数人のケガ人が出た。私も顔面を強打され、前歯を「6本」失った。

散会後、友人の井森君の下宿に駆け込み、血だらけの顔の処置をしたあと、私は自分の下宿に戻った。叔母は顔面に“血のり”の付いた私の顔を見てさすがに驚いた様子であったが、何も口には出さなかった。

翌日、近くの歯科医を受診し、とりあえず応急処置と仮歯をこしらえてもらい、見かけ上の修復をした。

「どうしました?」

「うん、ちょっとケガをして歯を折りました」……。

歯医者も学生のケンカとでも思ったのであろうか、それはそれで違いはないが、それ以上の原因を問いただすこともなく、その後、より見栄えのよい差し歯をこしらえてくれた。

その後の2週間ほど、私は大学には顔を出さず、叔母の家と歯医者を往復する生活をしていた。おかげでこれ以後、私がそれまで得意としていたリンゴの丸かじりと、トウモロコシを前歯にひっかけて1列ずつきれいに食べるという芸当ができなくなった。私が「日本大学」と「医学部」に、つねに「落とし前」をつけねばならぬという意識を保持し続けているのは、この「前歯6本」脱落のためである。

おそらくこの医学部本館奪還闘争によるぶつかり合いが直接の「容疑」であろうと思うが、私たち医学部闘争委員会の8名に「逮捕状」が出された。ロックアウトされた大学への「不法侵入容疑」と「業務執行妨害」(ガードマンの?)ということであった。

私たちに逮捕状が出たということをなぜ知ったのか、その経緯・情報源はよくわからない。当然そうであろうと思ったのである。もちろん医学部側から出された「被害届」を警察が受理した形になっていた。もちろんそれは想定の範囲内のことではあった。

それ以降、私ともう一人の学友は山手線沿線にある先輩の自宅に居を移し、そこから大学近郊へ出没し、学友と連絡を取り、今後の闘争方針を決めていた。この先輩は精神科医で、全共闘以前のインターン闘争時に日大医学部青医連の指導者として折々に私たちをサポートしてくれていた人である。

私が叔母の下宿に戻るのは着替えと親父から送ってくる書留による現金の受け取りのときだけで、それも夕方遅く、人目を避けてのことであった。

「進ちゃん、だいじょうぶ?」

「うん」……。

これだけの面会であった。

想定されたことではあったが、まだ逮捕状が出ていることの確証はなかった。しかし、叔母の下宿は見張られていたのであろう。

11月5日、いつものように短時間で「着替え」のつもりで立ち寄った叔母の家で私は逮捕された。

29 オリの中へ

「進ちゃん、警察の方が…… 」

「うん」……。

私服刑事らしき二人の男が、それぞれあまり目立たないグレーとカーキ色のジャンパーを着こみ、玄関に立っていた。彼らは警察手帳と書類（逮捕状であったろうか捜査令状であったろうか）を示したあと、下宿2階の私の部屋を簡単に捜索した。とくに私の思想傾向を知る目的であったろうか、本箱の蔵書を一冊ずつ確認してひと言、「よく勉強してんだ」……。公安に褒められるほどの蔵書はなかった。医学関係の教科書と文献、随筆、評論など、かなり雑多な読書傾向、それにまぎれた岩波の「哲学全集」、吉本隆明*30、「情況」などが若干「思想傾向」を示していたかもしれない。

「何かもっていくか？」という問いに、下着一式と未読のまま積んであった北杜夫の『白きたおやかな峰』（1966年、新潮社）を手にして、すぐ近くの路地に止めてあったライトバンまで連行され、その中で手錠をかけられ板橋警察へと連行された。下宿で手錠をかけなかったのは、下宿の叔母と「学生」に対する配慮であったろうか。

「取り調べ」は、この時代ではありふれた学生運動家に対する、おそらく「型通り」のものであったろう。こちらの言うことを取調官は鉛筆でていねいに書き取り、ときどき合いの手と質問を挟み、午前・午後2時間ほどの取り調べを受けた。まとまりのないことをよくこれほど細かく省略もせず書き写すものだと、取調官に同情するほどであった。取調官が書いたものに異論があれば、全文をていねいに取り消し、再びこちらの言い分に沿って書き直す。翌日も同様の取り調べで、ほとんど前日の蒸し返しであった。

「突撃」「ぶつかり合い」の事実は認めた。ついでに折られた上下の前歯の差し歯を外し、ロックアウトしていたガードマンの「暴行傷害を捜査しろ」と毒づいたが、さすがに驚いた顔をしたものの、係官は無言のままであった。最後に取り調べ書に署名、指紋の押印を求められたが、これは拒否した。取調官は、上目づかいにギョロリと私をにらみ、「まだやる気なんだ」……。しかし押印は強制されなかった。

留置場初日の夜、「救隊」の方から餃子の差し入れがあった。医学部の闘争はすでにこの時点で日大全共闘とほとんど連絡がないままの単独の行動であった。それなのにどうして私、それに私たちの逮捕を知ったのか不思議であったが、救隊の差し入れでまったく孤独・単独の運動と私たち自身が思っていた医学部の闘争が、まだ日大全体の闘争にほそぼそとつながっていることを知って、非常にうれしかったことを覚えている。

留置場の房を仕切っているオッサンがいた。私の入房は房全体に知れ渡っていたらしい。となりの房のこのオッサン（声はすれども“お顔”は見えず）は繰り返す詐欺の容疑で未決のままこの留置場に長いらしい。世にいう「主」である。彼が寝具の配分と置き場所、たたみ方、房での作法を教授してくれた。何となく「医学部生」ということで一目置いてくれた感じであった。

「先生、壊死ってなんですか？」……。医師でもない私にとんでもないマニアックな医学用語を根掘り葉掘り聞いてくるオッサン。なんだか病理の口頭試問を受けているようでもあった。別に制限時間があるわけでもない。雑談を交えながらていねいに説明していると、「そうすると私なんぞ社会の中で壊死一歩手前ですなぁ　」などと“落ち”をつけてくる。変に鋭く、変にこだわる、おそらく50歳代の男であった。

実はこのオッサンとは数年後、日大板橋病院の精神科病棟で再会することになる。そのとき私はすでに医師となり、内科病棟の担当医であった。ある日、精神科の病棟医から電話があり、詐欺容疑で収監され、精神鑑定のため入院している男が先生の名前を出して「知り合いだから会わせてくれ」と言っているという。 電話によると、「先生とは板橋の留置場で友だちになった」と言っているという。以前のあの頃を思い出し、すぐに“ピン”ときた。もちろん精神科の医師は、私とこの男の関係は男の「作り話」と思い信じていないが、ともかく「一度会いに来てくれ」という。

8階の精神科閉鎖病棟の彼の部屋を訪れた。お互い顔を覚えていたわけではないが、彼は「先生が来てくれた」を繰り返し、たいへん喜んでいた。その後、数回精神科医師を介して彼と病室で短時間あう機会があったが、そのうち「先生のためなら1本（1,000万円であろうか）で誰でも殺りますから言ってください」など、次第に話の内容が物騒になってきたので、最後は精神科医師に取り次ぎを断るよう頼み、“友人関係”を終わりにした。どうなったであろうか、あのオッサンは……。

私は検察庁に送られたが、その後「処分保留」のまま釈放された。全体としてみれば私のような学生運動の逮捕者など、あの当時数ある「集団微罪」のうちであろうが、「処分保留」が解除されればいつでも国家権力はその権限を執行する状態にあるともいえる。そしてそのぶん、私は国家に対してもまだ「落とし前」をつけるべき動機を持っているともいえる。同化はできない。

30 ベビーブーマー（回想）

私が生まれたのは戦後ベビーブームの絶頂期、昭和22年（1947）である。高校卒業までは茨城県東北部、人口15万ほどの半農・半工業都市で育った。阿武隈山脈の南端が海に迫り、東の太平洋との間の細長い土地に重工業機材製造の工場群が立ち並ぶ一方、人びとの住む宅地の周りには畑や水田が広がり、のどかといえばのどかな環境であった。

自宅のそばの小川に夏はホタルが飛び交い、夜になると遠く近くの水田からカエルの鳴き声が聞こえるような自然が残っていた。秋、友だちと30分ほど山に分け入ればアミタケ（網茸）、ハツタケ（初茸）など食用キノコが採れ、持ち帰れば祖母が甘辛く煮物にしてくれた。そして、もうちょっと奥へ入れば灌木の茂みにアケビの実が口を開けて待っており、さらにその奥にはときどきマムシが顔を出す藪が茂っていた。

親たちの世代にはまだ、朴訥な「田舎者」の雰囲気が残っていた。

現在の豊かな時代から考えると、当時はすべてにおいて貧しく、不便で、すべてにおいて「不足」の時代であったはずなのだが、日々の生活の思い出は、いつもなんとなく明るいベールに包まれていたのはなぜだったろう。「戦争」という最悪の時代を脱したことによる解放感であったろうか。

重工業都市であったため、戦争末期にこの町は、後方に控える山並みの形が変わるほど激しいアメリカ軍の艦砲射撃を受けた。戦争当時防空壕であった宅地造成中の土地から、生き埋めになった叔母の知人の骨が出てきたのは私が小学校の時のことであった。

小学校へ入学したとき、私のクラスは66人で、私は1年6組、中学校卒業の時はクラス56人で、私は3年12組であった。これが「ベビーブーマー」と呼ばれる私たちの世代の実態である。

学校でも帰宅後の近所の遊び場でも、ガキどもがいつも“ウジャウジャ”していた。ずいぶんあとになって、このウジャウジャを「団塊世代」と呼んだ方がいらしたが、むしろ現実は、「塊」よりは「群れ」と呼ぶにふさわしかった。

31 昭和30年代（回想）

工業都市・労働者の街といっても、親の経済状態はまちまちであった。いわゆるホワイトカラー族で親工場の役職者の子どもから、その下請け企業で働く中学卒を親に持つ子まで、多様な家庭環境の子どもたちがお互いに差別・被差別の意識もないままに、ただクラスメートとして遊び、交わっていた。

まだ「貧困」は家庭環境の違いを乗り越えて、世の中に当たり前のようにあふれていた。そんななかで、私は開業医の親を持ち恵まれた経済環境の子どもであったから、貧しい家庭の友人たちが本当のところどのように感じていたかわからないのだが、表面的には子ども同士の遊びの中で家庭の経済格差を意識することはなかった。もっとも、少々余分の小遣いをもらったところで、消費する場所は同じように限られた本屋か駄菓子屋か、紙芝居屋の水飴であったのだから……。

本屋の店先では、小松崎茂*31の戦艦と火を噴く大砲、グラマン機の機銃掃射などが表紙に描かれた少年向け雑誌の中に、赤胴鈴之助*32と鉄人28号*33がまだ生きていた。

当時はまだ「学校給食」の制度が整備されておらず、子どもたちは弁当持参であった。そして、弁当の“おかず”が家庭の経済状態を反映していた。

4年生のとき、私の左どなりのO君は、いつも麦飯に茹でキャベツの上に醤油を垂らしたオカカだけだった。「くれ」とも言わず、「あげるよ」とも言わず、家で弟に分けるのと同じ感じで彼の弁当のフタに私の目玉焼きの半分を分けてあげていた。別の列では、弁当を持ってくることのできない友だちに自分のアルマイト*34の弁当のフタにご飯とおかずの半分を分けていた。分けるほうも、もらうほうもさほど大事ではなく、何となく自然の行ないであった。

給食でまずい「脱脂粉乳」が出始めたのは、小学校の4年か5年生の時であったろうか。そんなわけで、ついに「給食」（おかず）を経験しないまま中学へ入学した。

この頃になると、戦後の日本社会の経済の回復を反映して「貧困」は影を潜め、食うに困るほどの友人は見かけなくなった。戦後の明るい時代の到来であった。平成天皇が皇太子と美智子妃であった時代の結婚式*35、そして東京オリンピック*36……。時代は洗濯機と冷蔵庫・白黒テレビの「三種の神器」から、カラーテレビ・クーラー・自動車の「3C　」が普及する時代に入っていく。

企業にとっての好景気はそこに働く労働者の生活をも向上させる。徹底的な搾取ではなく、労働者もまた「消費者」であるという視点を、この土地の企業はすでに持っていたのであろうか。

この頃から「進学率」、それもとくに大学への進学率が上がるようになり、やっとベビーブーマーたちにも自分の仲間が友人であるとともに「競争の相手」であることが意識され始め、中学校での中間・期末試験は各科目の点数と学年での順位が発表されるようになった。

しかし、この「競争」も私たちにとっては、自分たちの内部に自然に起こってきた競争意識というよりは、むしろ時代を先取りした学校の教員たちが自分たちの学校のステータスを上げるために仕掛けた「あおり」のような感じがしていた。まだどこかに非競争社会の友人関係が地方都市の中学には残っていたように思う。塾はまだなく、受験雑誌の主催する通信・添削による勉強が学外・家庭での勉強の手段であった。

32 大学入学まで（回想）

高校に入ると（昭和38年、1963）競争の傾向はさらに著しくなり、強いられた競争ではなく、自分自身がそれを意識し、積極的に参加する競争に代わっていった。毎年高校では、大学受験の結果が国立大学1期（当時）、国立大学2期、有名私立大学別に、また理科系学部、文科系学部に分けて発表され、高校生活は否応なく「受験戦争」の場所と化していった。

高校では1年の時から、クラスは志望校別に「理系」「文系」、さらに選択科目別の授業に分けられ、試験の結果は各科目と総合成績が職員室前の壁に張り出され、競争の中で否応なく勝ち抜くことを強いられた。

クラスメートと顔を合わせるのは週1回のホームルームと体育の授業のときくらいで、それ以外は教科書を持って選択した科目の教室へ移動する日々であった。いまでも高校時代の級友は何となく記憶に乏しく、たまに顔見知りの旧友と顔を合わせても「お前とは何年生の時いっしょだったっけ？」と確認することが多い。

受験雑誌の主催する県内統一の試験が催され、自分の成績が県レベルでどの程度にあるのかを知る源になった。しかし、その参加は任意で、学校全体のものではなく、また今のように自分の成績が「偏差値」という基準で提示されることはなかった。県内では「進学校」といわれた私の高校でさえも、大学進学をせず、高卒で就職するものが3割以上もいた時代である。昨今の受験戦争に比べれば、やはり“のどか”なものではあったかもしれない。

1学年550人、3割は高校を卒業して就職、進学の大半は地元の大学、少数が県外「東京」の大学であった。

私の場合、父が開業の医師ということもあり、あまり具体的に将来の職業選択を考えたわけでもなかったのだが、何となく「医学部志望」という選択科目になっていた。親父も、自分が基礎医学を専門としたものの、応召による研究生活の中断、戦後の経済的困窮などの事情で開業を余儀なくされたこともあって、いわゆる「跡継ぎ」として私に医学部進学を勧めたことはなかった。私自身も、「病める者のために」という崇高な理念があったわけではない。

音楽学校出のおふくろが薬剤師兼事務員として親父の開業を手伝っていた。親父と同じ時間、おふくろは働いた。親父には医院を病院へ拡大しようという上昇志向はなく、また変にストイックなところがあり、工業都市・労働者の街ということを背景に土曜・日曜も朝から夜の9時まで診療、休診は月に3日だけの「3の日休診」であった。医院の看板は板塀に50センチ四方の看板を張り付けただけで、医院の広告宣伝を嫌っていた。休診日には酒が入っていても、呼ばれれば往診に出かけていく、そんな開業医であった。

小学・中学を含め、子どもたちの入学式・卒業式・授業参観などの行事に親が来たことはなく、祖母か近くに住む叔母が代わりに来てくれた。両親と子どもたち（私は5人兄弟の長男であった）がそろって顔を合わせるのは、親父・おふくろが夜の診療が終わった9時過ぎから寝るまでの、わずかな時間だけであった。

現役時代の父が、旅行で新幹線に乗って箱根の山を越えたのはわずか数回だけであったと思う。いまからみると、患者さんのため、地域住民のための奉仕というよりは、医師とはどうあるべきという「医療」という職業自体への奉仕のように思える。

子どもに対しては、特別に優しい親ではなかったが、めったに声を荒げられた記憶もない。ただ、たまに新聞の社会面の記事などについて、子どもたちに少し理屈っぽく解説するところがあった。患者に対しても、いまでいう「インフォームドコンセント」というよりは、教育を兼ねた患者への説明がていねいで長く、時に厳しいという“うわさ”が患者・住民からは聞こえてきた。

父は医学部卒業後、勤めた基礎医学の研究所での雰囲気、上司の態度などの影響を受けていたようで、患者から見れば「おっかない先生」という印象であったようだ。ただ、医師は「神様」のように思う雰囲気が残る時代であり、田舎の住民にとってはその内容が理解しがたくとも、何となく尊敬・畏敬の念でも見られていたようだ。そんなわけで、子どもの頃、まとまった休みや休暇を両親とともに過ごした記憶はない。

時は日本経済右肩上がりの絶頂期、「国民皆保険制度」*37が成立し、国民は医療機関での支払いを気にせず受診できるようになり、開業医は収入の70パーセント以上が「基礎控除」（当時）として認められ、日本医師会会長・武見太郎*38のもとで開業医を中心とする医療機関は経済的に全盛期を迎えることになる。

患者のほとんどが、何の経済的負担もなく医療機関を受診し、医療機関は政策として十分すぎるほどの経済的基盤を保障され、一方ですべての医療行為（技術）・医薬品は国家による価格の設定となり、日本の医療は世界のどの社会主義国家にも達成できないほど完璧な「社会保障制度」を確立したのである。そんな時代にあって、子どもからみれば、ただただ黙々と朝から晩まで働いた親父とおふくろというのが印象であった。

かくして、地元大学に医学部がなかったこともあり、私は「東京の大学」へ進学することになったのである。

33 授業再開

私たち闘争委員会執行部の逮捕から数日後の11月7日、医学部は授業再開を強行した。うるさいのがいなくなったからであろう。この時の学生たちの反応は知る由もない。「授業再開」の知らせは学生への掲示と個々の学生への連絡によったらしい。私たちの逮捕もうわさによってかなり広まっていた。すでに、授業再開に積極的に対抗する手段と意欲を学生たちは持っていなかった。

11月15日、日大闘争救援会主催の集会が礫川公園で開催され、ここで医学部の第二次闘争の経過が報告された。すでに医学部第二次闘争も敗戦・終結の時期であったが、この医学部での闘争自体をこの場で「初めて知った」という他学部学友も多く、経過説明の中でため息と驚きの反応があった。

私はこの集会で、医学部闘争委員会として第二次医学部闘争の経過と現状を報告した。集まった全共闘の学友諸君は第二次のスト突入に対して歓喜の「異議なし」を送ってくれたが、実のところ、医学部闘争自体はすでに崩壊していることを演説の中でうまく伝えられず、医学部スト再突入の事実だけを受け取った集会参加者に対して“面はゆい”思いであったことを記憶している。

12月2日、医学部で27名の処分が発表された。私は6カ月の停学、事実上の1年留年であった。だが、医学部闘争委員会の幹部が退学処分にならなかったことが、これまた医学部らしかった。実際、退学処分者は出なかったものの、この停学処分をきっかけに、翌年春からの新学年に復帰せずに「自主退学」を選んだ者、復学はしたもののまったく正常に復帰することを拒んで翌年もクラスの中で「抵抗」を続けていた者など、その後の私たちの行動はさまざまであった。

私にとって、医学部学生としての「日常性」への復帰に、これはこれで精神的に力が要ることではあった。自分が否定したはずの組織、否定したはずの体制への復帰が、自己のそれまでの言動とどう“折り合い”をつけていけばよいのかがわからなかった。闘争の動機とその動機の強さが、事ここに至った時点での個人の身の処し方に影響したかもしれない。「投降」ではあったが、頭の中でそもそもの行動の「動機」となったものがいまだ消滅しきれていなかった。

たかだか1学年100人ほどのクラスで、われわれ4年生から40人以上の留年生を出し、1学年下の3年生からも30人近い留年生が出た。クラスの半分を占めるわれわれ留年4年生と、留年せずに進級してきた“新”4年生の混合クラスの中で、われわれはその後、同じクラスメートから「さん」づけで呼ばれることになる。

いずれにしても、正規の学生総会で決議されたストは医学部の強制的な力で消滅し、そして医学部学生が維持してきた自治組織「再建学生委員会」もここに消滅した。その状態は今日に続いている。

おそらく日大、いや学生運動を行なった全国の大学でこのような事態はごく一般的なことであったろう。どれほど大きな意味を持つことなのかはわからないが、少なくとも全共闘運動の結果として学生の擬制「自治組織」は全共闘運動の崩壊とともに完全に消滅したのは確かである。それも、おそらく全国いっせいに……。

それと同期するように、大学の在り方に学生の立場から口をはさむこと、そして知識人の卵として政治・社会的な問題に意見を開示することのできる“場”が、このあと消えていったのである。矛盾・不条理ということに耐性ができたのであろうか。冷静に考えてみれば闘争の敗北は学生たちに経済的な困窮をもたらしたわけでもない。むしろ余分な知的雑念を強制消去した学生にとって何一つ困らない「大学生活」が残り、そのような沈黙の延長線上に大学と学生生活は復活したのである。

34 自己否定

医学部においては日大の他学部に見られたような体育会系学生による暴力的な抑圧はないものの、学生の内部では教職員を含む学部全体のぬるま湯体質の中で「もの言わぬ医師たち」の生産を続ける体制への不満はよどんでいた。さらに学生たちは大学（マンモス大学であるがゆえに？）としての全学的視点を持てず、他学部における暴力的な学生抑圧を見て見ぬふりをしていた。「医学部」という特権的な立場に甘えて全学的な問題を傍観していてよいのかという、きわめて理念的な疑問がいつも学生たちの頭に去来していた。

そのような自分たちの安楽な立場、在り方を放棄すること、そして結果として日大他学部学生に対して加害者的立場にあることを自覚すること、その安楽な立場を放棄することを「自己否定」と呼んでいた。

「医師」というある種特権的立場（「もの言わぬ医師」であればすくなくとも安定した社会的・経済的立場が保障されていた）の自己の在り方を否定するという意味で、医学部における全共闘運動は当初から国立大学的な「自己否定」という動機の要素を持っていた。ただ、東大を頂点とする国立大学学生たちの自己否定の意識は、閉ざされた「象牙の塔」の中における自分たちの特権意識を前提にした、大学自体の対社会的な意識をその背景に持っていたのに対し、私たちの自己否定意識の対象はもっと狭いものであった。それは、当初の「他学部学生を見殺しにするのか」という漠然とした意識から、医学部闘争の終焉の時期にいたって、闘争継続をめぐり、理念の追求を通して自らの将来の「医師という立場を放棄するのか」、できるのかどうかという形で問われた問題でもあった。

具体的な闘争の行きづまりが、何か「体制」と呼ばれる、より漠然とした、しかし相当頑強な実態不明の壁にへばりついたものであるという認識に至ったとき、その壁を前にして撤退していくことを潔しとしない、そのようなときに現れた自身の理念追及の態度との折り合いの問題が「自己否定」という言葉に置き換えられていたように思う。

「自己否定」は恵まれた、そして約束された将来を否定し、自分が将来身を置くであろう安楽な体制を拒否し、その将来に至る自動的なレールを自ら閉ざして、その将来構想を自ら断つための「決意表明」のようなものであった。そしてそれは、将来の「医師」という職業を放棄するのか、それとも、どうにも具体的なイメージの湧かない（展望のない）理念追及のための「闘争」にコミットし続けるのかという、具体的な選択に対する問題でもあった。

その結果、闘争の「対象」が社会体制どころか、大学でさえなく、何か具体的対象を失って個人の生き方の「純粋性」の追及になっていった。それは安楽さ・安定した生活を拒絶して、あえて苦行の生活に入るかどうかという葛藤でもあった。医学部学生に限らず、闘争の終末期にはいずこの学部の学生も多かれ少なかれ、同じような精神状況におかれていたはずだ。

どの学部の闘争委員会にあっても、いわゆる「セクト」と呼ばれる集団に属した人間は多くはなかったと思う。闘争によって大学生活を全うできなかった学生も少なくない。彼らにとってそのまま大学に復帰し、「卒業」という区切りをつけて社会の中へ飛び出していくのかどうかは、大きな決断であったはずだ（理工学部のバリケードの中で偶然出会った高校の同級生Kはその後どうしたであろうか）。

現実の矛盾を社会体制の打倒によって解決しようと考えることのできた、いわゆるセクトの人間にはこの「自己否定」なる言葉はおそらく無縁であったろう。セクトの人間は“すっきり”ここを割り切っていたと思われる（そういえば、この「すっきり」という表現もまたよく使われたなぁ。あまり悩むこともなく矛盾を簡潔に解釈し、行動に結びつけられる状態をいうときに使ったものだった）。その限りにおいて、単純に自分の政治思想を政治セクトのそれに同調できた学生たちは精神的に“ラク”であったかもしれない。しかし私は、セクトの彼らが自分の思想と組織の持つ理論・理念を十分に理解した結果、それぞれのセクトにたどりつきスッキリしていたのかどうか、いつも疑問に思っていた。

「自己否定」はすぐれてノンセクトラジカルの付属物であった。そしてまた、闘争の現場である大学を卒業すれば社会的に（体制的に）安定した地位を築ける東大全共闘のような比較的多くの国立大学（生）に特有の悩みであったように思われる。残念なことに、否定すべき明るい将来が大学卒業というだけで待ち受けているかどうか、日大生と多くの国立大学生とではこの点が異なっていた。将来に対する“約束の度合い”がそもそも異なっていたのである。捨てるべき将来をたくさん持った東大と、捨てるべき将来を多くは持てなかった日大……。この点において、全共闘運動を担った多くの大学が、国立大学よりも私立大学であったことは示唆的である。

そしてまた、その点で「医学部」もまた日大全共闘全体の中ではいくぶん異質であった。医学部の内実がどのようなものであれ、「国家試験」という全国統一試験さえ通れば、ともかく社会的にも経済的にも一般社会の中では安定した立場が約束されていたからである。医学部闘争の終末の時期では、このような将来に向かうレールを自ら拒否するのか否かということが、「自己否定」という言葉で問われていたのである。

「二次闘争」以降ではとくにそうであった。直接暴力と対峙せざるを得ない他学部全共闘での「覚悟」が医学部では問われなかったぶん、「医学部やめてどうすんだよ」という、親・友人・教師からの強迫的問いかけが「自己否定」の問題として問われていたのである。実際、二次闘争の後半では、私を含め「医師」以外の自分の将来構想を考え始めた医学部学友も多かった。事実、何人かの学友は後の医学部からの処分決定をきっかけに医学部を去った。

医学部を去った人間たちの気持ちを知る由もない。あるものは、闘争の継続が不可能なら医学部に存在する意味がない、医学部に残ることを“潔し”としないと考えたかもしれない。あるものは、医学部に残ることによる自分自身に対する照れくささに耐えられなかったのかもしれない。そして逆にあるものは、医学部に存在する意味がなくとも、出ていった先の社会にもまた闘争継続の具体策が見いだせないと考え、踏みとどまったかもしれない。ただ知る限り、党派（セクト）を求めて自分の生活を「壁の破壊」に向けていった学友を知らない。セクトはそのような学生たちの受け皿にはなり切れなかったのである。セクトは全共闘運動においてノンセクトの怒りに伴う“過激さ”に同調はしたものの、その運動の長期的な方向性を提起することには失敗したのである。

考えてみればこの大学に限らず、全国ほとんどの大学で起きた全共闘運動のそもそもの発端は、延々と（おそらくは江戸時代の論語・儒教教育以来）日本社会の底辺に存在していた「道徳観」「倫理観」に抵触する問題であったように思う。決して知的に上昇した思想の結果、大学の内部で新たに見いだされた問題に対する運動ではなかった。闘争のきっかけ自体には道徳・倫理からの逸脱、時にこの時代においても刑法（税法）に抵触するという問題に対しての指摘・抗議（異議申し立て）が根強く張り付いていた。とくに「日大闘争」ではそれが「百姓一揆」の闘争であるといわれた所以でもある。そして、またそれは現代にあってはありうべからざる“封じられた言論”に対する「直訴」であり、大学の外側にある体制の変革を目指したものではなかった。変革の目標は間違いなく体制の中にあり、それは体制の内部の規範によって罰せられるべきものであった。

東大をはじめとする多くの国立大学においては、学問が社会特権的な、加害者的な役割を果たしているにもかかわらず、「学問の中立性」という美名に隠れて将来の立場を保障され、安楽に存在しているという理念に対する「否定」（自己否定）と、それを存続させている管理体制の「解体」（帝大解体）が、闘争の動機の主たるものであったが、それでもほとんどの場合、各大学における闘争のきっかけとなった個別の事情には、そもそも単に「悪・不正」に対する「善・正」というきわめて体制的な理由が含まれていた。

つまるところそれは、“自分にとって正しいことが彼らにとって正しくない”ということがありうるか、相手は自分たちの道徳や倫理をどのように判断しているのか、という問いである。というよりも、そもそもそのような道徳基準が彼らにとって存在していないか、あるいはその道徳や倫理が彼らの言動や生活を拘束する力にはなりえていないのではないか。そうすると彼らの基準なるものはいったい何か……。

「人種が違うんだよなぁ　」と嘆く以上の答えはなく、どうも全共闘運動は究極の解決のためのゴールを持たずに「解答不能の命題をたててしまったのである」（小阪）。

35 ふたつの視点1

運動が「停滞」というよりは、むしろ運動の「終焉」というべき状況のこの時期、私の心理状態は、日々時間の中に流れる得体のしれない「閉塞感・孤独感」とともに、どことなく叙情的で開放的な空気感が「通奏低音」のように流れていた。

なんであろう、敗色濃厚のこの時期の何とも言えないこの感覚は……。日々の思考の内容が分析と論理を離れて、現実の空気をどこかぼんやりと美的に、そしてどこか肯定的にとらえるような感覚に包まれていた。やはり強いられたとはいえ、一種の緊張感からの解放であろうか、はたまた強制された大脳皮質の過剰な労働に対する大脳髄質の生物学的防御反応であったろうか。

他方、身近の仲間以外には誰も現在の生活も思想の空間も共有していないという「疎外感」で満たされ、それをいまだ自分の行動の正当性という動機でギリギリ対峙し、踏みとどまっているという「悲壮感」にもあふれていたように思う。

某後輩いわく。

「西さんを見ていると、インテリの悲しみがにじみ出ていますね」……。

ここに2通のガリ版刷りのビラがある。これらのビラには当時の私たちの置かれた精神的・思想的な状況を反映した代表的な視点が記されている。

《その1通》(1)

論理構造は常に具体から抽象へ、個別から普遍へ向かうものである。体験が常に個人的なものであるにも拘わらず、それが例えば理念として、例えば思想としての普遍性を持ち得るのは、一つには個別的体験を普遍化しうる論理過程があるからであり、より根底にあるのは個別存在としての人間存在自体が、まさに普遍的なものであるからである。種々なところでなされる68・69年闘争の敗北の総括として、われわれが常に論理的正当性の故に、大衆に対して二者択一を迫ったが故に、云々ということを云われるがこれ程誤った総括はない。論理とは常に二者択一なものであり、とくにそれは論理展開しようとする者にとってそうである。不断なる自己に対する二者択一、それが論理である。もし敗北の原因があるとするならば、我々はまずもって、このような二者択一に対する不誠実をこそ指摘すべきである。(略)

それでは「闘い」の永続をいかに可能とするか。それは一言でいえば「党」の問題である。68・69年闘争において大量に出現したノンセクトの最大の問題点はまさに我々があのノンセクトとして出現したそもそもの本質を対象化する努力がなされなかったことであり、言い換えれば自己を客観化しなったことであり、それ故に個別の闘いの持つ限界に気付きながらも、その限界そのものを破ろうとはしなかったことである。「党」とは単にセクトの問題ではなく、目的意識性のことである。

闘いの最終的勝利に到る迄は常に敗北であるし、敗北の連続である。これが明白な、しかし当然な事実であればある程、我々にとって必要なのは一つの闘いの敗北を如何にして次の闘いの準備とするかではあっても、戦いそのものを放棄しさることではない。

これが当時“日和って”ゆく学生に対する「論理的恫喝」の根拠であった。

そしてこれは、討論・議論の中で“ぐうの音”も出ないほど言葉によって打ち負かし、積極的に闘争に参加することを強制する根拠であり（古田会頭を、大学をこのままにしていてよいのかという）、そしてより敵対的な友人に対しては完膚なきまでに言葉でもって打ち負かす（打倒する）論理の基本であった。しかし、徹底的に相手を打ち負かしている自分自身が、このレトリックの完全な信奉者であったかどうかというと、これは相当に怪しい。

「投企」という言葉があった。もともとはサルトル*39の書の中にあった言葉であったかと思うが、自分自身をあるべき可能性の中に投げ込み、その決断のもとで行動によって何者かになっていく、というような実践的対処のことであったかと思う。論理的恫喝を行なっている自分の中に、どこかでこのような恫喝で自分自身にも行動の変容を迫るような、漠然とした意識が間違いなく存在していた。そして“ぐうの音”も出ず、何の反論もできない友人たちの行動の変容を迫ることもできないままに、いつの間にかそれは自分が自分自身に対することであると自覚することになるのである。そして結局、人の行動はどうも理屈・理論ではなく、また二者択一のどちらでもない、どこか「別のところ」で決まるものらしい、ということを感じ始めることになる。

ここにはのちに「言ってもわからない人間には暴力的に正論を強いていく」「言ってもわからない人間は敵である」というセクトの内ゲバ・内部闘争の論理と、「暴力が知性の欠如よりは知性の究極にあるかもしれない」と看破した三島の論理の萌芽がにじみ出ている。そしてまた、「真っ赤な夕焼けを見て感動しない友人に、いくら言葉をならべて感動を迫ってもなにも起こらない」という、ヒトという生物の持つ属性と諦念も同居するのである。

36 ふたつの視点 2

《もう一つのアジビラ》(2)

私たちの用いた「論理的整合性」は、個人が彼の置かれてきた条件と置かれている環境を通して取り入れたとき（認識したとき）初めて「正統性」を獲得するのであって、「正統性」を大衆に押し付け、「二者択一」を迫ることなど最初から不可能である。つまり、「論理的正統性」など最初から「幻想過程」なのである。

「常に具体性から出発しなければならない」と考えるがゆえに、戦術を戦略にまでつなげるものが「党の問題である」というような先見性もまた「インテリの陥りやすい欠陥である」とせざるを得ない。「唯一重要なことは闘いの永続であり継続である」といってみても、個人がその「闘い」のモチーフを自ら見いだせない、まさにそのことによって実践不可能に陥っている状況の中にあって、「闘いの中でモチーフを獲得せよ」ということは自己矛盾でしかない。

このような状況の中では、人はどのようにあがいてみても、最大限自己のモチーフを追及する事しかできない。言い換えれば、このパンフに先見的に提示されている「自立した個人」がいったいどこからどのようにして生まれてくるのか、ということこそ問題にしているのだ。「闘いの中から」という答えは無意味である。

これらの珍しく印刷日時の明記されたビラによる医学部闘争委員会内部の論争は、大学側のロックアウト、医学部闘争委員会幹部の逮捕、授業強硬再開など、敗北的状況が進行する1970年（昭和45）11月下旬のことである。

前者（1）においては、闘争の経緯を詳細にたどり、論理的に分析していけば、闘争の相手が個別大学の問題ではなく、より高次の「体制」の問題に行き着くとし、そうであるならば闘争の対象を、その体制の変革・打倒に向けてより先鋭化していくことは避けて通れないと主張する。「ノンセクトラジカル」と呼ばれるような立場に甘んじ、動機も思想も明確に自覚されず、組織の境界領域もあいまいなままの闘争での闘争の継続が困難であれば、認識の問題として「党」と呼ばれる運動体が闘争継続のために、必然的に出現せざるを得ないと主張する。そうであるならば、過渡的な闘争の敗北はむしろ自明のことであり、その状況を突破するのはさらなる持続的なそして論理的行動であるという主張に帰着する。

しかし後者(2)では、その「体制変革を担う個人」が外的な要件の積み重ねと整合性による論理の蓄積のみでは出現しえないし、現実に闘争を続けていくためのモチベーションは、一度個々人の内面に還って仕切り直しの時期に来ていると主張する。前者から見れば後者は眼前の闘争からのドロップアウトを意味するし、実際、それらの主張を見越したうえで、皮肉を込めて後者は自らをビラの最後に「他称日和見分子有志」と称している。

「たしかにそのとおりなんだ、しかし…… 」という行動へは結びつかない思考の拡散は不徹底な「自己変革」の問題なのだろうか？

確かに、闘争することの基本的なモチベーション（なぜ戦うのか）がいかなるものであろうか、ということは長いあいだ私自身の心の奥底によどんでいる問題であった。そして、そのモチベーションの遂行を阻害しているもの（ためらわせているもの）は何であろうかということも、長いあいだ自分の内部で未整理のままの問題であった。そしてそれは、「不正」を見ても怒らない人間に怒りを強要する根拠、怒ってはいるが行動に至る動機と行動に至らない動機の境界点の問題でもあった。

さらには、倫理的・道徳的な「正・不正」と、その「正」が破られた時の反応の違いは個人の中の何に由来するのだろう、「正しさ」というものに対する個人の拘束性の強さは何に由来するのだろう……。これは当時、他者に対して突き付けた問題であったが、結局のところ、自分自身もまた論理的整合性に従って行動することができなくなっていたことの理由でもあった。ノンセクトラジカルの全共闘運動が、セクトの指導する党派の問題へ上り詰めることができなかった問題でもある。「論理的整合性」は結局のところ「精神論」（根性論）の域を出なかったのである。

どうも「論理的整合性」に従えない個人的なモチベーションの基礎には、程度の差こそあれ、何か強力な倫理的・道徳的・儒教的な「拘束性」に対する強さの問題が潜んでいるだろうな、とは思い続けてきた。いずれにしても、このことは未解決のまま折に触れて頭をもたげる問題であった。

37 どこへ着地したのか？

理論的には正しくとも行動に踏み切れない自分たちの持つ弱さについて、それは、当時よく言われていたところの「プチブル性」（プチ・ブルジョア）というものに由来することであると思っていた。この「プチブル性」なるものは知識の獲得と行動の継続によって止揚され、新たな地平の態度と行動を獲得できていくものと考えていた。

吉本隆明は「転向論」＊40の中で、戦前共産主義者の転向問題を外圧的な思想の強制によるだけではなく、知識人に存在（残存）する「目に見えない封建的土壌」、「日本封建制の優性遺伝的な因子」によるものであると述べている。

ずっとあとになって、この「プチブル性」なるものが「日本封建制の優性遺伝」「生活領域的思考」（鹿島茂）と「論理的整合性」との対立によるものであり、当時の自分がつき当たっていた問題の本質ではなかろうかと思い始めることになった。

人には「封建制」とまでは言わぬまでも、その「出自」（日本という風土の中で、時代、生まれ育った地域、その地域の都市化の状況、出身階層、家庭環境と経済状態、教育レベルなど）に規定された（依存した）各人固有の思想・信条・倫理・道徳・価値観がこびりついている。それは人が知識を獲得して、そして整合的・理論的にインテリ化していっても最終的に抜き難いものであり、この「日本封建制の優性」に対して、知的上昇（インテリ化）ではどうしても乗り越えることができない壁がある、ということのようだ。

この「優性」はいわば一人の人間の知的上昇・インテリ化に対して「生理的障害物」とでも呼ぶべきものとして現れる。それは「日本」という風土の中で時間（歴史）をかけて自分に塗り込められたものの総体であり、それを知識でもって短兵急にそぎ落としてみても、浸透した生地の内部までは消し去ることのできないもののようである。

闘争が長期化し、激しくなるにつれ、個別の闘争が「制度・体制」などの知的上昇問題とぶつかり始めたとき、闘争を担う個々人の「優性なる生活領域的思考」の大きさ・深さによって、人びとは闘争から離れていくことになった。その「生活領域」とは、具体的には闘争によって露呈した各人の背後環境の総体であり、そして眼前においては親子関係、留年問題あるいは医師を前提にした将来問題など、各人各様に内在する複合的な要素であった。ただ闘争の発端となった動機自体は彼らにとって知的上昇の結果ではなく、優性な生活領域的思考内部での倫理観や道徳観であった。それゆえに運動から脱落してはいくものの、しかし、全共闘運動のもつ「生活領域的」な理念にだけには依然として同調するという、多くのシンパが作られた理由でもあった。

闘争は一方で、知的に上昇した言葉や論理が個人の「生活領域的な思想」に対してどれほど強い拘束性を持つかどうかという、個々人の限界点の検証でもあった。闘争継続に関する最後の判断や、行動を決定するモチベーションなるものは、それぞれの個々人の心の中に占める「生活領域的思考」（鹿島茂）の大きさ・深さの差であった。前述の「他称日和見分子」のいう「個人のモチベーション」の実態はここにあったかもしれない。

知的な上昇（論理的整合性の積み重ね）によっては、その人間がそれぞれの度合いで持っている「生活領域的思考」の持つ優性の境界は乗り越えられないということであれば、この「優性」の度合いに見合った時点でそもそもの動機を保持したまま「生活領域的思考」の側へ回帰していった、ということかもしれない。

倫理観と道徳観が行動の動機であった闘争の初期には、ぶつかっても壊れない体制の側にも、同じ道徳観や倫理観自体は共有されているものと、私たちは考えていた。しかし、否定されるはずのないその「原則」が否定され、押し戻されていくなかで、どうもこの「体制」と呼ばれる厚い壁の中は、私たちの持つ基本的な基準・規範とは「何か違う」ものがあると思い始めた。どうもこの「体制」と呼ばれる厚い壁は異なる論理、異なる価値観の人間によって構成されているらしい、と思い始めたのである。それはまた私たちが持っている道徳・倫理の基準に対置されるような明瞭な姿・形を持つものではなさそうであった。押し戻されるたびに脱落してゆく友人、はじめから「やっても無駄だ」とタカをくくっていた友人たち、その誰しもが、ぶつかっていく相手側もまた同じ道徳観・倫理観、同じ判断の基準を持つものと考えていたのである。

「話せばわかる」「話してもわからない」、しかし相手がこちら側を全否定していることだけは明瞭である。ならば成敗せよ。全共闘は全国一斉に大量に発生した「月光仮面」であり「怪傑ハリマオ」であった（橋本）。しかし曖昧模糊とした相手は壊れない。このような状況の中で、拳を振り上げている自分自身がふと自分自身を見返すことになる。

押し戻された人びとは戻るべき体制を拒否する一方で、「自己否定」なる想念を自分自身とそのシンパたちに投げかけた。しかし、結果として自己否定の内実を明らかにして、自己の生き方を変えていく方法も、また具体的な闘争戦術も提起できず、自己否定派は空中分解していった。

個別学園闘争が警察権力・国家権力、そして大学の沈黙・無作為によって強制的に鎮静化させられるなかで、その闘争の限界を見せつけられた学生の一部は、国家体制の本質に対峙することをもって、その闘争の質を理論的に深化させ、運動の幅を全国政治運動の方向へ広げていった。ここからはいわゆる「セクト」と呼ばれる政治組織が中心的な役割を果たすことになる。それは「11.22日大・東大全国全共闘総決起大会」の頃、そして翌年の「安田講堂闘争」の頃であり、ノンセクトラジカルの全共闘運動とセクト主体の政治運動とが交替する境目であったように思う。

体制に規定された大学、体制の一翼を担うための大学を否定したとき、いったい何を目指すのか。そもそもその体制とは何か……。セクトと呼ばれる党派に属する人たちはそれを「資本主義体制打倒」と呼び、ある人は「帝国主義体制解体」と呼んだのだが……。

だが、私たちが「反体制」と呼んだところのものはそのような政治の枠組みに関するものでも、思想的な体系でもなかった。周囲のだれも『資本論』や「共産党宣言」を読み、マルクス、エンゲルスを真剣に学んだことはなかった。共産党がセクトや全共闘を批判するときの「トロツキスト」の「トロツキー」とは何者ぞ、ということを読みかじってはみたが、実のところ彼の政治思想についてはさっぱりわからず、セクトの標榜する「反スタ」のスターリンが実際に何をやったかさえも知らなかった。スターリンについていえば、彼がつくりあげたソビエトロシアの恐怖政治体制と硬直化した巨大な官僚組織・中央集権化による国民への抑圧が、このナイーブな道徳と倫理に根ざし、個々人が勝手な「異議申し立て」に集まった全共闘というものに対し、どうも対極にある組織形態であろうか、という生理的な嫌悪感を伴う印象を持っていたにすぎない。

まとまった組織論・行動基準・思想をそもそも持たない「異議申し立て」の全共闘運動において、運動からの撤退が、何か具体的な思想や体制を放棄するという形での「転向」というものではなかった。それどころか、そもそも「反体制」という意識も多くの全共闘運動家にはなかった。しかし、目的かなわずして運動からの撤退と、否定してぶつかったはずの体制への回帰とは、それが「転向」ではないとしたら何であるのか、その意味が長い間の“モヤモヤ問題”であった。飛び出そうとして動いてはみたが、優性な引力によって飛び出すことかなわず、もとの離陸点に落ちた、というほどのことではあった。しかし、最初の離陸点とは確かにいくぶんか異なる地点には落下、着地したようではある。

皆さん方はあれだけ激しく暴れておいて、「イヤだ、イヤだ」「おかしい、おかしい」と言っていた元の体制におめおめとお戻りになるのですか……。これがわれわれに対する体制側のその後の言い分であったろう。体制を脱したいと考えてかなわず、優性なる「封建体制的な思考」によって、結局もとの体制の中に引きずり落とされたわれわれに対して、その落ちた先の体制側の「目」はわれわれを同じ体制内の人間とはみなしていなかった。この場合の「目」とは、「異議申し立て」自体を当初から認めなかった知的に上昇した自称・民主主義者から、知性のかけらもない封建体制的な思考で凝り固まった人びとの両者であった。このような「目」は、当時はもちろんのこと、いまだ当時を知る人から全共闘運動家に放たれる“まなざし”である。私の着地した体制とあなたのいる体制が、どこにも「境界線」が見えないのに同じ体制の中で決して交じり合うことがないのである。いずれが「水」でいずれが「油」か……。

戦前「鬼畜米英」を唱えた軍人・政治家たちどころか大多数の国民でさえ、敗戦という一時を境にして「親米」に転じてしまったこと、国家主義者がいっせいに「民主主義者」に転じてしまったことをだれも「転向」とは呼ばず、またその転向が当事者に自覚されることもなかった。ましてこの「集団転向」が道徳的・倫理的な痛みを伴う自省的な変化を国民にもたらすことはなかった。どうもこの集団転向は「相転移」とでもいうべき現象であったように思う。「敗戦」という小さな刺激によって「体制」そのものがいっせいに、そして一瞬にして「裏返った」のである。内部で何の生理的嫌悪感が自覚されないまま、そして集団全体がいっせいに、それも封建的優性思考を保持したまま「相転移」を起こしてしまったのである。この裏返ってしまった体制もまた「封建的優性思考」だけは引き続き保持していたように見える。

資本主義からみて「反体制」であるところの社会主義体制はすでに全滅に近く、皮肉なことに社会主義から見た反体制であるところの資本主義体制は長らく世界的体制の位置を維持していたように見える。しかし、「グローバリゼーション」と「IT革命」という、体制とも反体制ともつかない無機的な交通・通信手段・生産体制の拡散によって、政治と経済を中心にしたアナログな古典的体制と反体制はともにその壁がズタズタに分断され、消滅しようとしている。そしてどちらから見たものであれ、古典的反体制は体制によって消滅したというよりは「自壊」であったように見える。

考えてみれば全共闘運動の敗北もまた、ぶつかっていった体制による他殺というよりは「自壊」して消滅したというべきものであった。当事者たちはこの運動をスライドさせて何かを創造するという視点を一貫して持っていなかったのである。「疾風（はやて）のように現れて、疾風のように去っていった」（橋本）のである。

38 昭和40年代という時代

昭和20年（1945）8月、「敗戦」によってそれまで重くのしかかっていた軍部とそれに直接支配された政権による圧迫が取り除かれた。江戸時代以来、日本人に連綿と浸透してきた儒教的倫理観が、アメリカ民主主義教育の後押しを受けて再び表に出てきた。その後、経済復興に伴い、生活が豊かになっていく裏側で、その豊かさのもたらす貧困・格差の増大は、経済・政治活動の上での対立を深めることになる。政治的には「保守思想」と、それに対し社会正義を訴える「左派思想」との対立であった。いわゆる「55年体制」*41といわれるものであった。

大学に入って数年の間（昭和40年代前半）、毎年「春闘」と呼ばれる労働者の賃金値上げ闘争では、その要求貫徹のためストライキを伴い、交通機関は私鉄・国鉄ともにしばしば終日運転を停止し、都市機能をマヒさせた。私自身も通学の足が完全にストップされ、池袋駅地下通路の中で長い時間足止め食ったこともある。これらの労働運動は、いわば左派政党の社会党・共産党と、政権政党である自民党との「社会主義」と「資本主義」の代理闘争を反映しており、左派政党の言動の中にはまだ「人民」・「ブルジョア」という概念が残ってはいたように思う。

しかし、その数年後に始まる全共闘運動のなかで、これらの用語はすでに消失していた。どういうわけか人民に変わる「市民」というという概念もまた全共闘運動の中では浸透せず、この用語は羽仁五郎の「都市の論理」*42、新宿地下広場をロック・フォークで埋め尽くした「反体制ピンク集団」、そして

「べ平連」活動家など、あまり個別大学紛争には深くコミットしなかった活動家の間で使われた用語であった。

個別大学紛争の中にいる全共闘活動家にとって、「市民」という概念はあまりにも無色・透明の存在であった。ただ、私の印象では、この時代にもまだ保守政党・左派政党を問わず、国民一般の中に共通の「封建的優性思考」による倫理観が存在していたように思われる。

儒教的倫理観・道徳観は古くは江戸から、明治・大正そして戦前・戦後を通じて持続しており、社会的な規範・常識として人びとの間に何の疑問もなく定着していた。その意味で「封建的優性思考」の原点といってもよいと思う。その限りにおいて、この封建的優性思考のもつ倫理観は、昭和20年の敗戦・相転移、アメリカによる戦後民主主義的教育、貧困から豊かさへの経済的上昇を乗り越えて、さらには全共闘運動の嵐と終焉を乗り越えてもまだ存在していたように思われる。

戦時中は、その戦争の目的について、この封建的優性思考の原点を暴力的な軍国主義によって戦争遂行のため異質な道徳観、すなわち「聖戦」、「アジア解放」、「八紘一宇」＊43などといった言葉によって「上書き」していた。

ただ、この「上書き」された道徳・倫理観が昭和20年（1945）の敗戦による相転移でもって取り除かれると、その下層の封建的優性思考は再び復活した。むしろ、アメリカ占領軍によってもたらされた戦後民主主義は、その道徳・倫理観の復活を増幅した。敗戦にともなう「集団転向」（相転移）は、この封建的優性思考に根ざす倫理・道徳観に大きな変化を及ぼさなかった。もちろん「集団転向」の国民はこれに対する罪悪感も変更前の自己に対する負い目もなかった。なぜか知らねど天真爛漫であった。

敗戦後に国民の多くが感じた「解放感」というものは、意図的・暴力的に押し付けられ、強制的な知的操作（概念的には「知的上昇」といってよいと思う）による軍国主義的「上書き」道徳観が取り除かれ、本来その基底に存在し、沈黙を強いられてきた個人的・庶民的道徳観（「封建的優性思考」）が表に出てきたときの解放感であろうか。

親たち世代が経済的な豊かさを獲得するほどに「失っていった」もの、貧困から脱出するためには無意識の中で「失ってもよい」と考えたもの、そして「衣食足りて礼節を知る」ことが真であると錯覚していたものは、おそらく心の基底にある儒教的な道徳・倫理観であったように思う。この封建的優性思考としての道徳・倫理観が社会から消滅、フェードアウトしていったのは、昭和40年代後半、衣食足りた後の「第一次オイルショック」*44や全共闘運動消滅の時期に一致していたのではなかろうか。「ポストモダン」*45、「新人類」*46出現までの移行期間はさほど長いものではなかったかと思う。

「虚偽・改ざん」がバレ、そしてそれが報道されてもびくともしない体制政治家たちが堂々とマスメディアの表面を跋扈し、それをまた本質を語ることがなく、奥ゆかしく報道するだけのジャーナリズム……。もちろん、自分の社会的立場を賭して過激なストライキをやらねばならないほどの貧困は社会から消失した。「馬鹿野郎」と子どもを叱る親もとうの昔に消滅した。やがて、社会のあちこちにかすかに残っていた倫理観も消えていけば、そこには何らの社会的規範も消失した「精神的更地」が出現する。この状況は三島の予言したものかもしれない。

三島由紀夫が市ヶ谷の自衛隊駐屯地で割腹自殺する4か月ほど前、彼が「産経新聞」に寄稿した記事の中の有名な一節、「このまま行ったら日本はなくなって、その代わりに、無機的な、カラッポな、ニュートラルな、中間色の、富裕な、抜け目のない或る経済大国が極東の一角にのこるであろう」……。三島は集まった自衛隊員に決起を促し、最後に「それでも武士か！」という言葉を投げかけている。「武士の心」というものの基礎に自らを律する規範・道徳というものがあるとすれば、その言葉はおそらく日大全共闘運動がめざしたものと「同質」のものである。三島の胸の中を吹き抜ける寂しさもまた、挫折の中にある全共闘運動家のものであった。

第一次オイルショックであさましく「物買い」に走ったのは昭和48年（1973）であったか。きっとこのあたりが倫理観からみた「戦後」の始まりであった。

39 総括

「総括」という言葉があの時代飛び交っていた。「まとめ」「反省会」のようなものから、大きな会議・大会・デモ行進などのあと、その成果を自分たちの都合のよいように「意味づけ」「まとめる」ことであった。いや、失敗の反省のほうが多かったかもしれない。全共闘運動が終焉のあと、しばらくして連合赤軍が山中で仲間たちをつるしあげて殺害していったのも「総括」の結果であった。

街頭デモのあと、そのまま下宿に帰りそびれた友人と居酒屋でモツ煮をつつきながら、機動隊からどうやって逃げ切ったのかを話すことなども「総括」であった。当時は、行動も時代も人の命もなんでも「総括」し、「総括」されてしまう風潮であった。「もうこんな展望ないことやめて、日和ちゃおうよ」という総括はモツ煮と一緒に腹の中にしまいこみ、口に出すことは許されない状況であった。昭和43年（1968）から昭和47年（1972）頃までのことである。

あの頃は行動に忙しく、その一々を書き留めたり、それこそ日々の「総括」を文書としてまとめたり、自分の考えを分析的に見て、その意義づけをどこかに記録しておくことなど眼中になかった。実際、手元に残された当時の「アジビラ」のほとんどに「日付」は記載されていない。将来に向かって文書を残し、組織としてそれを保存していこうとする意識に全共闘運動は決定的に欠けていた。

省みても、確かに全共闘運動には「時間性・歴史性」という意識が欠けていたようだ。三島と東大全共闘との対論の中で、全共闘運動が瞬間・瞬間にして現れては消えてゆく「空間の運動」であるという点で、幻想ではあるが、三島のいう美的空間が時間性・歴史性を伴っているという点では確かに対立していた。

そういう事情は自分自身についても、自分が属する組織についても同様であった。今から思えば“あっ”という間に突入し、“あっ”という間に突き抜けてしまった行動であった。どこからが自分の意思であり、どこからは時代と状況の波に乗っただけの行動であったのか、あるいは時代につかまってしまった行動（小阪）だったのか、今もって判然としない。いずれにしても、記録を持たない「記憶」はただ自然消滅するだけである。

残念ながら、すでに記憶は薄れはじめ、かつての出来事の前後関係も不明、手元に残る資料も少ない。かといって時間をかけて調査し、大きな時代史を完成させる力量もなく、その根性も残されてはいない。他方、思い出すことについて、今ならば多少冷静な目で分析し理解することも可能か、という気持ちの余裕ができてきたかとも思う。部分的には「コロナ休暇」のおかげである。とりあえずこれは自分史を加えた「全共闘時代雑感」である。

繰り返しになるが、事の発端はそもそもが「不正」と「抑圧」に対する怒りであった。そこに何か思想的・哲学的な、そして政治的な動機が最初にあったわけではない。少なくとも私自身も、そしておそらく日大全共闘の面々もそうであった。各学部的にそれぞれのキャンパス内であまりにも“頭に来た”ことがたまっていたのである。そこに大学の「経理上の不正」が決定的な火をつけた。

抗議の行動を起こすことは自分の意識の中で無条件に「正義」であった。その限りにおいて、この「正義」という意識は社会的な道徳観に照らして普遍的なものであり、何か特別な分析や判断を要するものではなかった。今となってはこのアプリオリの正義というものが何であったのだろうかとも思う。

この動機自体はきわめて「体制的」なものであり、この正義を内包する体制からはみ出す「反体制」は自動的に「悪」のはずであった。その意味で、学内の既存体制こそが「反体制」であった。「義」を欠いた理不尽に対して命をかける高倉健の意気に、映画館の中で「異議ナーシ」の声がかかった時代であった。ついでに言えば、集会での演説で、的確な分析と行動の方針（デモなど）が示されれば「イギナーシ！」の声が、そして敵対する相手の対応や行動に対しては（演説する相手ではなく演説内容に対して）「ナンセンス！」の声が実にタイミングをあやまたず、そこに集まった参加者から発せられたのである。歌舞伎の「イヨッ、中村屋！」のタイミングである。

「悪」に対して行動を起こさないことは、個人が知識人というほどの自覚はなくとも、“一社会的(体制的)常識人として許されることではない”という通念は社会一般に強かった時代である。しかし、その後の社会は、「いかなる理由」があっても暴力的抵抗・激しい言葉による異議申し立ては許されないという時代に突入する。不法に馘首されても、経営者が不法行為をやっても、ストライキ一つ打つことのできない労働組合の時代が到来したことと期を一にする。
「体制的」道徳観から立ち上がって「反体制的」大学に対峙したとき、本来味方であるはずの「体制」がやがて「反体制」の側にシフトし、「体制的異議申し立て」の側を強引に「反体制」に仕立て上げるためには、これまた「封建的優性思考」の根底にある、左翼・社会主義者・過激派・共産主義者など、それまで体制の中に沈殿していた異なる引き出しから反体制の別の「レッテル」を強引に貼ることが必要であった。

この逆転はなんであったろう。政治・経済的な体制は、その内部にある道徳的反体制を許容しないということであろうか。生活意識的な道徳・倫理観は、政治経済的な体制の人間にはまったく拘束力を持たないということであろうか。確かにこのあと、時代は「誰がどう見ても不正」という事象に対しても、人びとは「怒り」の感情を隠したまま黙過するという態度を覚え、今に至っている。その点で全共闘運動は、上部構造に対する下部構造の「拘束性の証明」という壮大なる実験に手を貸したと言えなくもない。

学生の挫折感とともに、大学もまた「ひどい目にあった」という自覚は強かったのではないかと思う。彼ら大学（体制）の「総括」は何であったか。もちろん自らの立脚する政治的体制自体の否定でないことは確かである。きわめて先鋭的・過激な反発を及ぼさないような大学運営・経営と、自らの経営基盤に致命的な問題を及ぼさない程度の学生の自主性の許容など、それはちょうど企業が労働者に対する過剰な搾取を抑制し、ほどほどの“おすそ分け”を与えながら、彼らの生活の向上を図り、「共存の道」をたどったこととアナログである。それはまた、体制的な倫理観・道徳観を失いながら、一方で決定的な暴力管理を消滅させていったことに一致する。

全共闘運動は、とくに国立大学においては、「教養」「知」を仲立ちとした知識人の権威・特権の「破壊」であったが、実は大学にとっても都合のよいことに、このような「知識人の育成」などという余分な業務を全共闘運動が「放棄」するきっかけをつくったのである。

40 大学の変容

闘う学生たちが大学から自動的に卒業し、一部は自主的にあるいは強制的な処分によっていなくなり、平穏な学園に戻った頃、社会もまた大きく変化していく。今ではすでに死語となった「旧人類」のオジタリアン・オバタリアンから、「新人類」と言われる人たちが世の中の多数を占めるようになり、そしてその新人類もまたどこにも行き場のない中途半端な集団を形成するに至ったころ、大学もまた総括の結果であろうか、いろいろな面で変化を見せてきた。

それぞれの大学や学部に生じた変化には、学部の設置基準やカリキュラムの変化、学生選抜の方法の多様化など、数多くあるに違いない。そのような個別の変化とは別に、社会における大学の「在りよう」という視点で俯瞰してみると、この全共闘運動を経過したあとの30年ほどの間の、より深層での大学の変化を見てとることができる。その変化は「大学の自治」の崩壊と、建前上あれほど毛嫌いしていた「産学協同」の許容から、むしろ産学協同への積極的参加への転換である。この「二つの変化」はおそらく表裏をなしている。

1960年代後半から70年代前半、全国の全共闘運動が敗北の中で終焉したころまで、「大学の自治」なる概念は間違いなく残っていた。それは「知識」というものが現実社会の利害・利益（経済行為）から独立したものであり、また「知識人」というものが、資本家側（企業側）の求めるところのただ生産体制を支える人間であってはならず、「大学」（知識人）はこれら体制側の価値観とは異なるところに位置すべきである、という考えに拠っていた。そして、またその大学が市民社会・国民に開かれていない閉鎖的・独善的な組織であってはならなかった。この悪しき「象牙の塔」であってはならない、という大学の「在り方」への批判は、とくに東大を中心とする国立大学の全共闘運動のひとつのモチベーションであった。

しかしよく考えてみれば、「象牙の塔」が開かれるべき相手は現実社会の利益代表たる「企業」ではなく、実はどこにも存在しない「市民」であり、概念的に考えられた架空の社会一般であった。その限りにおいては、全共闘運動は国立大学にあってさえ、初めから政治的効果の期待できない理念的な闘争であった。

「知」の獲得をはじめから放棄している多くの私立大学では、「象牙の塔」の解放が運動のなかで問われることはなかった。また多くの国立大学にあってバリケード封鎖に対しての機動隊導入（国家権力の介入）は、すくなくとも当初、教職員は“ためらい”を感じ、何とか国家権力の手を煩わせることなく解決しようとする様子が見てとれた。しかし、日大をはじめする私立大学における実体のない「象牙の塔」への機動隊導入は実にすみやかで、何の“ためらい”もないものであった。

その結果に自覚的であったかどうかはともかく、大学は「開放」されてしまったのである。実態のない相手に開放された「象牙の塔」は、現実には何のためらいもなく「企業」に向かって開かれたのである。

その転換の開始がいつの頃であったかはっきりしない。1980年代初頭にはそのような転換の傾向がすでに始まっていたように思われる。それでも、全共闘運動の終焉からの十数年は、大学にも企業にも、相互に何か「開放」に対する“ためらい”のようなものがあったように思われる。この時期は「象牙の塔」の側にも、門を開かれてしまった企業・社会の側にも、無条件開放に対する何か共通の倫理観の残渣があり、その残渣を消し去って「心の整理」をするに要した期間といってもよいかもしれない。個々人について言えば、この期間は「日和った」全共闘運動家がその“ためらい”を心の奥底にしまって実社会へ没入していくための準備期に一致する。

多くの学問の領域で、「知」の獲得自体が狭い大学研究室の中だけでは不可能となり、他分野との学際的なつながりが必要となり、そしてまたその研究に必要なコストは肥大化した。学問自体の中にも学問内部で完結するような研究テーマより、いかに「社会に還元されるか」という領域のテーマが増え、学問の進歩自体が「象牙の塔」から出ていくことを必然的に強いた。

学会での発表に企業研究所からの演題が増え、企業研究所との協同研究、大学研究者の企業研究所への転職、企業からの委託研究、そして最近では企業献金による大学内での研究講座(寄付講座)の開設なども珍しいことではなくなっている。その結果、研究発表論文、講演には企業との利益関係の有無を表示することが一般的になってきている。

研究成果の製品化・特許申請権を見越した企業からの研究費

の供与など、膨大な研究費なくしては学問の先端を走ることができなくなった。アイデア自体よりは、それを証明するための器材と材料費の調達が研究者の業績を左右することになる。研究費の取れない研究者は一流の研究者ではありえなくなってきている。このような傾向は、大学に「自治」の概念が失われ、次いで「知識人」という人種（観念）が失われていく過程に一致している。学問は進歩し、技術も進歩し、知識の量は飛躍的に増加しているのに、「知性」を失った科学者たちが大学を跋扈することになる。

是非に及ばず。現実を示せばこのようになる。

では、「象牙の塔」は開放されなかったほうがよかったか……。よりグローバルな、そしてより長い歴史の中で、全共闘運動が批判的に総括されるとすれば、開かれるべき相手がないままに、結果としてこれを開放してしまったという点に集約されるかもしれない。大学の解体は皮肉なことに、“もっとも開放されたくない相手に”解放され、そして再構築されたのである。

社会から独立した「象牙の塔」の中で、「知」の存在が実体としても概念としても失われてみれば、大学に求められる教育は「知識」と「技術」の伝授のみである。断片化された知識をいかに効率的に伝達するのかという教育技術者が求められ、時に、その技量において予備校講師が大学教員に勝るといわれることになる。存在自体が学生を感化するような「教育者」という人種も、皮肉なことにわずかに体育会系教員の一部に生き残るのみで、実質上、死語となっている。

医学部に関していえば、専門化され細分化された医学は、講座の主任教授といえども自分一人でもって自分の専門の全領域をカバーするような講義ができなくなっている。「一臓器」の講義を、その解剖・生理・炎症・腫瘍・機能異常・疾病まで「おひとり」でなされる教授は、何処の専門領域にもすでに絶えて久しい。全体を統括し、膨大な知識の集積を「知性」にまで高めることのできる教授・教育者は消失し、講義は膨大な数の教育技術者による「分担講義」に置き替えられている。

他方、教育組織としては、その「分担化」により、教授を頂点とするヒエラルキーが自動的に消失し、「医局」は教授の統率を失った医師集団に次第に変わってきた。皮肉なことに「医局の解体」もまた、その担い手（解体屋）が不在のまま進行して今日に至っている。

大学病院経営上の観点から、医師は「臨床」という名の労働行為による「利潤」の追求を求められる。研究業績が組織の中で昇進していくための科学者としての医師の基幹業務であるとするならば、臨床という労働行為はもっとも医師個人の時間を消費し、精神的負担を強いられるという点で研究者としての医師の活動性を阻害するものとして扱われやすい。

確かに、患者との“接客”を介した臨床的な知的好奇心と、基礎的医学研究に対する好奇心とは多くの医師において一致しない。とくに組織内での上昇志向の強い医師にとって、「臨床」はもっともイヤな医師業務となる。「よき臨床医」と「一流の研究」は屹立し、ますます両立しがたくなる。
「象牙の塔」の開放、「知」の解体は結果として、知識人の産生よりは知識人の解体・臨床テクノクラートの産生という流れを必然的に生み出した。役に立たない知は不要、ということはそのままプラグマティックな医療に直結する。その結果、臨床における「全人的な医療」の達成よりは、機械的な「医療技術の修得」が臨床の目標になる。「学位」という権威より「専門医資格」を追いかける医師群の出現は、人間の「生存」という視点のみから見ればよい結果をもたらしているかもしれない。
かつて、「全人的医療」を目指した時代の東大内科教授は、その定年記念の講義の中で、自分の診断の20パーセントが「誤診」であったことを明らかにしたが、今では腹部超音波を施行する技師、内視鏡検査と腹部CTが読影できる3年目の医師がいれば、間違いなく"全人的"医師の上を行くだろう。いまや、「医学博士」の取得に対する特別な反権威運動なくして、現代医学の進歩はこの権威的称号を消滅させようとしている。

遡及すれば、基礎的医学研究は、最近まで古典的「知」の追求にもっとも近い医師の活動領域であったかもしれない。作業仮説を立て、実験を行ない、結果を解釈し、できうれば人の生命現象の解明に何ほどかのインパクトを与える、という一連の知的操作がこの領域には残っていた。
しかし、この実効性を持たない基礎医学研究は、現在"ひん死"の状態にあるといえる。成果が臨床に、結果として企業による診断や治療のための製品化に直結するものでなければ、研究の意義そのものがなくなってきている。逆に言えば、そのようなことを前提にしてしか研究費が公的にも企業からも得られなくなってきている。現在、医学的「知」は「利潤」に結び付くことによってしか存在できない。「原理」「原則」の追求に至る「知」の領域はきわめて狭いものになってきている。

教育・研究・診療という大学医学部の基本的な柱が「一人の医師」によって担われることが不可能になり、それぞれの柱がさらに小さな「梁」に解体され、それぞれの医師は臨床においても研究においても、その効果・利潤を直接求められるような場所にしか住めなくなってしまった。そして教育者としての医師は、そのような医師を育成することのみを強いられるような環境におかれている。

一人の医師の脳と腕、知的作業と飯のタネが解体・分離された結果、社会的には豊富な知識をもちながら、全体をみわたすことのできない欠落した知性を有する非常識人が大学に大量に存在し、かつ生産されていることになる。

全共闘運動の機動力となった倫理や道徳からの逸脱問題が、現在このような豊富な知識を持つ一種のテクノクラート医師・研究者にどのくらい影響を残しているか。そして、このような状態は全共闘運動がもたらした直接的効果かどうか。この間の科学の進歩、社会的価値観の変化という大きなうねりの中で、全共闘運動とその崩壊がその最初のちょっとした“キッカケ”、転換点での着火作用をしたのではないかとも思う。

41 その後の長い日々

若者は常に理念的であり、理想的である。俗に、「20歳で“アカく”ないやつはバカ、40歳になっても“アカい”やつはもっとバカ」と言われる。そして、20歳の“アカ”は社会的に許容される範囲にあり、俗に「若気の至り」などと訳知り顔の40歳から自己の寛大さを示すために説教される。

しかし、この俗言には現実の人間の認識に決定的な問題がある。それは20歳で“アカく”なかった人間が40歳になったとき、その多くはいかんともしがたい「俗人」というバカになってしまっているということである。人生のある時期、何ほどかでも自己を賭すことで形成されるはずの「核」を形成し損ねた人間は、おそらく時代に規定された「優性的封建思考」が大脳髄質にまでズッシリと及んだ人間であることは明らかである。

個別闘争が終焉したのち、全共闘運動に参加した人びとの意識の持ち方は各様であった。いずれの生き方を選ぼうとも、人びとの多くは、単純明快にその後の高度経済成長に伴う社会に同化できたわけではなく、心のどこかに“違和”（チグハグさ）を残しながらこの時代を生き、切り抜けてきたのである。

私自身、自己を取り巻く体制に「違和」を感じながら生きるということは、どこかで見えない他人の「体制」のシッポとぶつかりながら、どこかで妥協をくり返し、そしてその妥協を自分で意識し、その違和を確認しながら先へ進んできた。天真爛漫に隣接する体制へ「同化」ができたわけではない。体制の枠からできるだけ遠いところに身を置こうとしてきた。そして重なる年齢とともに、生きて生活していれば望まぬともついてくる社会的立場にべったりと張り付いて剥がすことのできない体制に対しては、時に「沈黙」し、時に「同意せず」の態度の繰り返しで乗り切ることになる。

全共闘運動終焉のあと、右肩上がりであった日本の高度経済成長は影を潜め始める。「ニクソンショック」（いわゆる「ドルショック」、昭和46年）、「オイルショック」（いわゆる「石油危機」、昭和48年）といった石油の価格上昇と狂乱物価などの時期を経由して、社会は安定・成長期に入る。大量生産・大量消費を前提にした、いわゆる「消費革命」の時代の到来であった。この時代、人々は「楽しさ」（娯楽・趣味・レジャー）と「ゆとり」（仕事からの解放）を求め、文化的に新しい価値観が生み出された時代でもあった。人々の都市への流入、農村からの若者の流出による過疎化、多様な文化と生活は、連綿と持続していた道徳観・倫理観に対する人びとの拘束性を緩め、「何でもあり」の社会に突入していったように見える。確かにそれは昭和40年代の後半のことであり、もう一つの戦後の終焉の時期であった。

社会に広まる価値観の多様性は、どこかで不変と思われた倫理・道徳の中にも浸潤し、結果としてはあらゆる言動、あらゆる社会現象の中にも“変質した”道徳・倫理が日常的に見られるようになってきた。変わらぬものと考えてきた倫理・道徳も、「なんでもあり」の許容の中に入り込み、かつての絶対的な基準と思われていたものとの境界も見えづらくなっている。いまや、この社会は物質的には豊かで、かつ「正も不正」も「道徳も非道徳」もあわせて飲み込んでしまう社会であり、変人も奇人も、そしてもちろん「体制内反体制派」もあわせて許容してしまうような社会に変質してきている。

一方で、一度目覚めた「反体制」という「自覚」の取り消しは効きそうにもない。漂いながらも、「あいつらをあのままにしておいてよいのか」という思いと、「この連中とどの面さげて付き合っていけばよいのか」という思いが、日々頭をもたげ、交差することになる。豊かな消費社会を天真爛漫に楽しめないままに時どき目を覚ますのは、依然として自己の持つ「規範」に対する“厳格性”にあるようだ。

他者のもつ封建的優性思考こそが「体制」であったかもしれない。

しぶしぶと、淡々と、そして照れながら社会へ拡散していったわが友人たち……。私も含め、彼らは自分が全共闘運動の中で「正義」の側にいたことを疑ったことはない。全共闘運動は実に「自己肯定的」な闘争であった。終わってみれば「自己否定」すべき何ものもないことに気づく。

表明はする、発言は明確にかつ強硬に、しかし他者の説得と行動の変容は強いない……。

押し寄せてくる体制からのいつとはない「同化」という引

力、それは忍び寄る他者の「封建的優性思考」から自覚的に距離を保つことであり、それは行動を伴わない不同意である。それはまた、他者の体制的思考から見れば「同意」とみなされることになる。結局のところ、「あいつも相当マイルドになったなぁ 」という、うれしくもあり、かつ軽蔑すべき人物評価をいただく。それでよい。

あとがきにかえて

経験する自己と物語る自己は別であるが、完全に別個の存在ではなく緊密に絡み合って──物語を創造している。物語る自己はすべてを語らず、印象深い瞬間や最終結果だけを使って物語を紡ぐ。経験全体の価値はピークと終末を平均して決める（ユヴァル・ノア・ハラリ＊47）……。私たちがかつて「総括」と呼んでいたところのものは、今このような認識の中にある。「50年」という時間は個人の総括としては最終のものであろうか。しかし、より長い歴史の中での総括はおのずと別のことである。

友人たちもそろそろと鬼籍に入りはじめている。記憶の不確かさと、始まりつつある認知障害に責任の半分を押し付けながら、あの時代と自身を「総括」してしまおうという時間に幸いにも恵まれ、またこれ以上待っても個人的には「あの時のことについてなにも出てこない」という年齢に達したようだ。

「全共闘運動」という名のもとに時間と空間を共有した「学友諸君」はいまでも一方的に「友人」である。

だいぶ長い間、「人間と歴史社」代表の佐々木久夫氏から、私の学生時代の「全共闘運動」についてまとめることを勧められてきた。断片的なノートのようなものを折に触れ、思いだすままに書き留めていたものを今回、形あるものとしてまとめることができた。「日大全共闘運動史」ではなく、全共闘運動に伴う自分の「内面史」ではあるが、部分部分から運動の「事実」とその「時代」は読み取っていただけるのではないかと思う。

脈絡のないノートが書籍の形になりえたのは、佐々木氏による本質的な問題点の指摘と多くの助言によっている。心から感謝したい。

2021年3月

西成田 進

*1　ベ平連:「ベトナムに平和を！市民連合」の略称。1965年、小田実・鶴見俊輔・開高健らを中心に結成。広範な市民の自発的参加を得て多彩な反戦運動を展開。1974年解散。

*2　文化大革命:1965年から約10年間、毛沢東主導下で展開された政治・権力闘争。

*3　成田闘争：新東京国際空港（現成田国際空港）建設に対する反対闘争。三里塚闘争とも。1966年、千葉県成田市三里塚に国際空港を建設する閣議決定を受け、地元農民らが反対運動を展開。全学連などの学生が合流して激化。

*4　学費値上げ闘争：1965年末から学費値上げ、学生会館管理問題から始まった早稲田大学での学生運動。広範な一般学生も闘争に参加し、後の学園闘争・全共闘運動の先駆となった。

*5　団塊の世代:堺屋太一の命名。1947年から1949年に生まれた第一次ベビーブーム世代をいう。

*6　『飛鳥へ、まだ見ぬ子へ』:骨肉腫のため右足を膝から下を切断、後に肺に転移、若くしてこの世を去った医師・井村和清の遺稿。表題の「飛鳥」は長女の名。

*7　所得倍増計画：1960年に池田勇人内閣が10年間で国民所得を倍増するとした長期経済政策。高度経済成長を背景に国民1人当たりの消費支出は10年で2.3倍に拡大した。

*8　ポリクリ：ドイツ語のPoliklinik（外来治療のための病院部門）から。医学部在学中の5・6年生時に実際に病院の各診療科を回って行なわれる臨床実習の通称。

*9　『女工哀史』：苛烈な労働、貧困と虐待に苦しむ紡績・織物業の女子労働者の実態を描いた細井和喜蔵（1897～1925）の著。1925年、改造社刊。

*10　医師国家試験ボイコット：1967年、青年医師連合（36大学、2400人が参加）がインターン制度の完全廃止・医局の改善を要求して行なった医師国家試験のボイコット（87%が参加）。この混乱が東大医学部卒業試験ボイコットを引き起こし、東大紛争の導火線となった。

*11　青医連：1966年3月に全国医学系大学34校が参加して結成され、インターン制度廃止・国家試験ボイコット・奨学金ボイコット等運動方針を決定し実行した青年医師連合。

*12　秋田明大：日大全学共闘会議議長となり、東京両国の日大講堂で3万人参加の大衆団交を実施。獄中で全国全共闘副議長に選ばれ全共闘運動を象徴する活動家として学生運動史に名をとどめた。1947～。

*13　古田重二良：秋田県生まれ。日本大学高等専攻科法律学科卒。1958年日本大学会頭に就任。学部独立採算制の導入、付属校・準付属校を増設により、大

学・高校・中学を含めて14万人のマンモス化を達成。1957年に32億円だった収入は1968年に300億円と急成長した。一方で、この拡大政策は学費の値上げを招き、22億円の使途不明金の発覚を機に学生の不満が一気に爆発、日大闘争へと発展した。闘争の最中、1970年、肺ガンにより死去。日大紛争や自身の会長としての経営が正しかったのかを悔やみながらの死だったといわれる。1901～1970。

*14 紅衛兵:『毛沢東語録』を片手に「造反有理」(謀反には道理がある)「破旧立新」をスローガンに北京市内をはじめ各地で運動を展開し、中国文化大革命(1965～1976)の推進力となった学生組織。のち極左偏向と内部分裂で崩壊。

*15 安保闘争:「日米安全保障条約改定反対」の闘争。「60年安保闘争」と「70年安保闘争」を指す。1960年の「60年安保闘争」は近代日本史上最大の大衆運動となった。

*16 安保闘争のあと:1968年から1969年にかけて行なわれた「日米安全保障条約の延長」をめぐる闘争。条約の自動延長阻止・条約破棄の通告を求め、全国各地の大学でバリケード封鎖や「70年安保粉砕」のデモが行なわれた。街頭闘争として、羽田闘争(67)、佐世保エンタープライズ寄港反対(68)、沖縄デー(68)、新宿騒乱事件(騒乱罪適用:68)、佐藤首相訪米阻止闘争(68)などが展開された。

*17 ブント:ドイツ語名 Kommunistischer Bund の略で、正称は「共産主義者同盟」。日本の新左翼党派の一つ。

*18 社学同:正式には「社会主義学生同盟」。1958年に結成された日本の新左翼系の学生組織の一つ。前身は日本反戦学生同盟(反戦学同)。

*19 ML派:「日本マルクス・レーニン主義者同盟」。毛沢東主義を掲げる。共産主義者同盟系の日本の新左翼党派。

*20 中核派:新左翼の二大党派の一つ。革命的共産主義者同盟(革共同)全国委員会と、その下部組織のマルクス主義学生同盟(マル学同)・中核派の通称。

*21 インターナショナル:1871年、フランスで作られた革命歌。作詞・ポティエ、作曲・ドジェテール。のち労働歌。1944年までソ連の国歌。

*22 南ベトナム民族解放戦線:1960年に南ベトナムで結成された反米民族統一戦線。通称「ベトコン」。ベトナム戦争を通じ北ベトナムの支援を受けながらゲリラ戦でアメリカ軍と戦い、1975年4月南ベトナム全土を解放し、1976年6月南北ベトナム統一を実現した。

*23 枯葉作戦:ベトナム戦争中の1967年以降、アメリカ軍がベトコンが潜む森林を枯死させるために「枯葉剤」(化学兵器の一種)を使用して実施した作戦。散布地区では死産・流産・奇形児・ガンが多発した。アメリカでもベトナム帰還兵に精神神経障害やリンパ腺ガン、腎臓ガンなどが多発し、大きな傷痕を残した。

*24 小田実:小説家・評論家・社会運動家。ハーバード大学に留学。留学からの帰

国時に世界各地を貧乏旅行した旅行記『何でも見てやろう』は大ベストセラーになった。べ平連の中核的リーダー。1932 ～ 2007。

*25　開高健：小説家。『裸の王様』で芥川賞受賞。壽屋（現サントリー）のPR誌『洋酒天国』の編集やウイスキーのキャッチコピーを手がけ、1964年には朝日新聞社臨時特派員として戦時下のベトナムへ行き、帰国後『ベトナム戦記』や『輝ける闇』を執筆。1965年べ平連日本側集会呼びかけ人となる。1930 ～ 1989。

*26　鶴見俊輔：戦後を代表する哲学者・評論家の一人。15歳で渡米しハーバード大哲学科を卒業。大衆という視点を思想の中心に据え、独自の立場から日本人と日本社会を捉え直す問題提起を続けた。1922 ～ 2015。

*27　ジョーン・バエズ：アメリカのシンガーソングライター。1960年代から70年代にかけてベトナム反戦運動を展開。反戦歌「ウイ・シャル・オーバーカム（We shall Overcome）」はベトナム戦争終結への強い圧力となった。ほかに「ドナドナ（Donna Donna）」「朝日のあたる家」など。1941 ～。

*28　ピーター・ポール＆マリー：アメリカのフォークグループの一つ。PPMとも。1960年代にベトナム反戦のメッセージを全世界に送り出した。「500マイルも離れて（500Miles）」「天使のハンマー（If I Had a Hammer）」「花はどこへ行った（Where have all the flowers gone ？）」など。

*29　医科系総合体育会：医学生のためのスポーツの祭典。東日本医科学生総合体育大会（東医体）、西日本医科学生総合体育大会（西医体）に分かれて行なわれ、国体に次ぐ参加者数を持つ。

*30　吉本隆明：思想家・詩人・文芸批評家。工場に勤務しながら詩作や評論活動を続け、「戦後思想界の巨人」と称される。国家の本質を人々の観念の集まりとして解き明かす主著『共同幻想論』は全共闘世代の支持を集めた。1924 ～ 2012。

*31　小松崎茂：SF冒険活劇物語『地球SOS』が少年画報社の「冒険活劇文庫」で作画連載、子どもたちはまさに映画を観るように物語と挿絵に魅せられた。小松崎の名声を不動にしたのはプラモデルの箱絵「ボックスアート」だった。1915 ～ 2001。

*32　赤胴鈴之助：北辰一刀流千葉周作道場の少年剣士・金野鈴之助の活躍を描く漫画。『少年画報』の1954年から1960年まで掲載された。「赤胴鈴之助」の名は父親の形見である「赤い胴」（防具）に由来。

*33　鉄人28号：1956年月刊誌『少年』で連載された横山光輝の漫画作品。太平洋戦争末期に陸軍が起死回生の秘密兵器として開発していた巨大ロボット。この鉄人が戦後に現れたという設定。鉄人を自由に操れる小型操縦器（リモコン）をめぐって悪漢・犯罪組織と少年・金田正太郎の攻防を描く。

*34　アルマイトの弁当箱：アルミニウムを表面加工した弁当箱。アルミニウムは加工しやすいが変形・腐食しやすい(梅干し弁当には不向き)ので、アルミニウムを陽極（＋）で電気分解して人工的に酸化皮膜をつくったのがアルマイト。

給食のない時代に活躍した。

*35　皇太子と美智子妃であった時代の結婚式：皇太子・明仁親王と正田美智子さまの婚約・結婚は、皇太子がお相手を自身で選ばれたこと、お相手が軽井沢のテニスコートで知り合った民間の女性であったこと、美智子さまがカトリックのミッション系大学の出身であったことから大きな話題となり、「ミッチーブーム」なる社会現象が起こった。1959年4月10日のパレード沿道には53万人が詰めかけ、実況生中継を観ようとテレビが普及（200万台）した。

*36　東京オリンピック：1964年に東京で開催された第18回オリンピック大会で、アジア地域で初めて開催されたオリンピックでもあった。参加国は最大の94カ国にのぼり、10月10日から10月24日までの15日間にわたり熱戦が繰り広げられ、その様子は宇宙衛星を使ったテレビ放送が45カ国に中継された。東海道新幹線が開通。

*37　国民皆保険制度：1938年（昭和13）の旧法制度では、当時は組合方式で農山漁村の住民を対象としていた。市町村運営方式により、官庁や企業に組織化されていない日本国民が対象となったのは1958年（昭和33）で、1961年に日本国民すべてが「公的医療保険」に加入する「国民皆保険体制」が整えられた。

*38　武見太郎：慶応義塾大学医学部卒。銀座に診療所を開き、政財界の要人と交わる。日本医師会会長（1957～1982）をつとめ、医療保健行政をめぐっては「喧嘩（けんか）太郎」とあだ名されるほど攻撃的で、医師会の発言力を強めた。GHQ（連合国総司令部）としばしば対立し、衛生局長のサムスの、アメリカの医療政策を実施しろとの強引な要求に強く抵抗。サムスが「戦勝国のいうことを聞け」と脅したら、武見は「戦争に負けたのは軍人であって医師ではない」と開き直ったという有名な逸話が残っている。また話し方の名手で、講演は原稿なしでつねに時間内に話したいことをすべて話し、きちんと終えていた。

*39　サルトル：フランスの文学者・哲学者。フッサール、ハイデッガーに学び、『自我の超越』を書く。第二次大戦に動員、捕虜となり、ドイツ軍収容所に入れられるが、脱走。占領下のパリで『存在と無』（1943）を執筆。戦後、「実存主義」を唱導。1968年5月革命ではフランスの学生運動を支持した。ボーヴォアールとは学生時代に知り合い、生涯の伴侶とした。1905～1980。

*40　「転向論」：1959年、吉本隆明著『芸術的抵抗と挫折』に掲載された戦前・戦中の思想家を分析した論考。「高度な近代的要素」と「封建的な要素」が矛盾したままある日本の社会が、「知識」を身に付けるにつけ、理に合わぬものに見えてきて一度離れるが、ある時離れたはずのその日本社会に妥当性を見いだし無残に屈伏するという生き方を、共産主義者や日本の知識人たちの転向の一典型と論じた。

*41　55年体制：1955年、左右両派の統一によって再発足した日本社会党と、日本民主党と自由党の保守合同によって結成された自由民主党の2党を軸として成立した政党制をいう。55年体制は40年近く続いたが、1993年の総選挙で自由民主党が衆議院議席数の過半数を割り込み、日本新党党首の細川護熙による非自民8党派の連立政権が成立。ここに自由民主党が議席の絶対多数を占めていた55年体制は崩壊した。

*42　「都市の論理」：羽仁五郎（1901～1983）による都市論。近代の産物である『都市』をマルクス主義的な歴史観で読み解いた。都市というものの主人公は、行政でも企業でもなく、市民、それも自立した自由な市民であると主張。1960年代の後半には全共闘運動を支援し、『都市の論理』はベストセラーになった。

*43　「八紘一宇」：大東亜共栄圏建設の理念として用いられた標語。第二次近衛内閣が決定した《八紘ヲ一宇トスル肇国ノ大精神》に由来。「八紘」は東・西・南・北と、東北・北西・西南・南東で、「天下」の意。全世界（天下）を一つ（一軒）の家のように統一すること。もとは日本書記の「兼六合以開都、掩八紘而為宇」に基づく。

*44　第一次オイルショック：1973年に勃発した第4次中東戦争をきっかけとしてOPECが原油の供給制限と輸出価格の大幅な引き上げを行なったため、国際原油価格は3カ月で約4倍に高騰。これにより、石油消費国である先進国を中心に世界経済は大きく混乱し、日本の物価は瞬く間に上昇。急激なインフレは経済活動にブレーキをかけ、1974年度の日本経済は戦後初めてマイナス成長となり、高度経済成長期はここに終了した。

*45　ポスト・モダン：1980年代の世界的な思潮を概括する言葉。脱近代主義。芸術や文学・思想などにおいて、合理化・中心化したモダニズムを脱却・解体しようとするもの。元来は建築用語。「人間」や「物語」や「歴史」の終焉といったポスト構造主義のそれとも重なる標語とともに語られる。

*46　新人類：1980年代後半に広まった、従来なかった新しい感性や価値観を持つ若い世代を「異人種」のようにいう言葉。戦後の日本を築き上げてきた戦前・戦中派世代が、価値観や道徳観などの違いから、「困ったものだ」というニュアンスを持って使われた。

*47　ユヴァル・ノア・ハラリ：イスラエルの歴史学者・哲学者。ヘブライ大学歴史学部の教授。現在の専門は世界史とマクロ・ヒストリー。世界的ベストセラーとなった『サピエンス全史』『ホモ・デウス』『21 Lessons』など、著作累計が世界2,750万部を突破。コロナ禍においても積極的に発言。「国境の恒久的な閉鎖によって自分を守るのは不可能であることを、真の安全確保は、信頼のおける科学的情報の共有と、グローバルな団結によって達成されることを、歴史は語っている」（人類はコロナウイルスといかに闘うべきか。2020年3月15日「TIME」誌記事より）。1976～。

《参考文献》

本書を書くにあたり参考にした・示唆を与えてくれた書籍（順不同）
（用語・文章を直接引用したものについては本文中に著者名を記載した）

1.「日大闘争　創刊号　特集＝日大闘争・その政治的総括」、日本大学全学共闘会議・文理学部闘争委員会理論機関紙、1969

2.「叛逆のバリケード－日大闘争の記録」、日本大学文理学部闘争委員会書記局編、日本大学文理学部闘争委員会、1968

3.「新版・叛逆のバリケード－日大闘争の記録」、日本大学文理学部闘争委員会書記局・『新版・叛逆のバリケード』編集委員会編著、三一書房、2008

4.「路上の全共闘　1968」、三橋俊明、河出書房新社、2010

5.「日大闘争と全共闘運動－日大闘争公開座談会の記録」、三橋俊明、彩流社、2018

6.「討論　三島由紀夫vs.東大全共闘－美と共同体と東大闘争」、三島由紀夫・東大全学共闘会議駒場共闘焚祭委員会（代表　木村修）、新潮社、1969

7.「安田講堂　1968-1969」、島泰三、中公公論新社、2005

8.「日本の大学革命5　全共闘運動」、日本評論社編集部編、日本評論社、1969

9.「日本の大学革命6　青医連運動」青医連中央書記局編、日本評論社、1969

10.「ドキュメント東大闘争　砦の上にわれらの世界を」東大闘争全学共闘会議編、亜紀書房、1969

11.「現代思想のゆくえ」、小阪修平、彩流社、1994

12.「思想としての全共闘世代」、小阪修平、筑摩書房、2006

13.「獄中記－異常の日常化の中で」、秋田明大、全共社、1969

14.「ゲバルト時代－Since 1967～1973　あるヘタレ過激派活動家の青春！」、中野正夫、バジリコ、2008

15.「革新幻想の戦後史」、竹内洋、中央公論新社、2011

16.「唐牛伝－敗者の戦後漂流」、佐野眞一、小学館、2016

17.「吉本隆明全著作集13　政治思想評論集」、吉本隆明、勁草書房、1969

18.「自立の思想的拠点」、吉本隆明、徳間書店、1966

19.「重層的な非決定へ」、吉本隆明、大和書房、1985

20.「新版　吉本隆明1968」、鹿島茂、平凡社、2017

21.「私の1960年代」、山本義隆、金曜日、2015

22.「敗戦後論」、加藤典洋、講談社、1997

23.「戦後の思想空間」、大澤真幸、筑摩書房、1998

24.「戦後的思考」、加藤典洋、講談社、2016

25.「大衆の幻像」、竹内洋、中央公論新社、2014

26.「団塊の肖像－われらの戦後精神史」、橋本克彦、日本放送出版協会、2007

27.「医療問題の怪を解く－団塊医師の小さな異議申し立て」、西成田進、人間と歴史社、2014

28.「ホモ・デウス」、ユヴァル・ノア・ハラリ、河出書房新社、2018

《日大全共闘運動年表》

【1968年】(昭和43年)

1月26日:理工学部・小野竹之助教授(本部教務部長)の5000万円脱税が発覚。

＊1月:チェコで「プラハの春」始まる(5日)、米原子力空母エンタープライズの寄港阻止闘争始まる(17日)、東大医学部無期限スト突入、東大闘争開始(29日)、南ベトナム共産ゲリラの蜂起、テト攻勢開始(29日)。

2月8日:東京国税局、学校法人日本大学への一斉監査に着手(本部、商学部、芸術学部、医学部、歯学部、付属高校)。

＊2月:ベトナム戦争・ハミの虐殺(25日)、成田空港阻止三里塚闘争委員会のデモ隊と警官隊が衝突、戸村一作反対同盟代表が重傷(26日)。

3月22日:国税局の監査が法学部、経済学部、文理学部、理工学部、生産工学部、工学部、農獣医学部におよぶ(4月15日までに全11学部)。

＊3月:成田空港建設阻止のデモ隊と警視庁機動隊の成田市内での衝突(10日)、ベトナム・ソンミ村での虐殺事件(16日)、アメリカ大統領リンドン・ジョンソン、ベトナムへの北爆一時停止演説(31日)。

4月5日:経済学部会計課長・富沢広が3月25日突然失踪し、経済学部の銀行口座から700万円が引き出されていることが発覚。失踪から1年7か月後の69年9月17日、警視庁は全国指名手配中の富沢を潜伏先で逮捕。

15日:東京国税局「使途不明金20億円」を公表。その後の報道機関の取材によれば使途不明金の累計は34億円と伝えられる。

18日:日本大学教職員組合、古田重二良会頭以下全理事16人の辞職を勧告。

20日:経済学部・短期大学部学生会(秋田明大委員長)の歓迎集会が学部当局から拒否され予定された日高六郎東大教授の講演会が禁止となる。

23日:理事と学部長の合同会議で小野教授と呉文炳総裁が辞任、総裁・副会頭・常務理事制を廃止。

24日:教職員組合、再度全理事の退陣を要求。

＊4月:マーティン・ルーサー・キング牧師暗殺(4日)。

5月21日:経短学生会、学部当局への抗議討論集会を参加者20名で行なう。体育会系学生50名による妨害と暴力行為。

22日::経短学生会、経済学部地下ホールで抗議集会、約450名の参加。

23日:経短学生会ホールでの集会に法学部、文理学部の学生を含む200名が参加。集会はその後、1,200名に膨れ上がった学生によって「校歌」を歌いながら白山通りでの街頭デモ。これが「200メートルデモ」と呼ばれる。この日はじめて「日大全共闘会議」名のビラが経済学部にて配布される。

24日：経短学生会の抗議集会とデモは全学部に知れ渡る。この日の経済学部集会にも体育会系学生が暴行、乱入。この日、1号館前の集会に法学部、文理学部学生が多数合流。法学部執行部批判の学生200名が抗議集会。

25日：経済学部で秋田明大以下15名に謹慎処分。法学部3号館前で800名参加の抗議集会。文理学部では学部当局の解散通告を無視して500名の集会を続行。経済学部1号館前では複数の学部からの学生3,000名の抗議集会。本部前での集会で「日本大学全学共闘会議」の結成が提起される。

27日：文理学部大講堂前で3,000名の抗議集会、文理学部闘争委員会結成。法学部3号館前で1,500名参加の抗議集会、法学部闘争委員会結成。経済学部前で5,000名参加の全学総決起集会、日本大学全学共闘会議の結成を承認、議長に経短学生会委員長秋田明大を選出。

29日：商学部闘争委員会結成。

31日：文理学部闘争委員会の団交要求に「全共闘は学則上非合法団体である」との理由で拒否。学部は全面休講を宣言。闘争委員会の集会に体育会系学生が殴り込み、負傷者多数。

＊5月：フランスで学生・労働者によるゼネスト、5月革命の発端（21日）。

6月2日：東京国税局、34億円の使途不明金を大学当局による不正な経理操作による脱税と断定。

4日：本部前での抗議集会で全共闘代表が6月11日の団体交渉を要求。法学部の一部学生が本部学生部長室に突入、抗議集会。

5日：医学部学生委員会全共闘を承認。

6日：古田会頭、6.11の団交を拒否。

7日：農獣医学部、芸術学部、法学部での学生会、抗議集会。

11日：経済学部で学部長が体育会系学生250名を集め経済学部1号館を逆封鎖。それに対し封鎖を阻止しようとした全共闘側学生と乱闘となる。体育会系学生は建物屋上から、集会に参加し座り込んだ学生5,000人に向かって石、コーラのびん、スチール製ゴミ箱、果ては砲丸投げの鉄球までも投げ落とす。全共闘行動隊が体育会系学生の築いたバリケードを突破して1号館に突入、立てこもった体育会系学生と乱闘となる。大学当局は機動隊の出動を要請。しかし機動隊は体育会系学生を取り締まるどころか全共闘学生の行動を規制。法学部闘争委員会法学部3号館をバリケード封鎖。

12日：全共闘は経済学部を奪還、ストライキ突入を宣言。

13日：日本大学学生会連合会が解散を宣言。理工学部自治会をリコール。

15日：文理学部学生総会無期限ストを決議、バリケード構築。

17日：法学部闘争委員会、法学部自治会をリコール。

18日：商学部スト突入。

19日：「学生会議」の学生、文理学部へ侵入、文闘委学生による迎撃。芸術学部スト突入。予備折衝拒否に対し経闘委と法闘委学生による大学本部のバリケード封鎖。農獣医学部スト権樹立。医学部教授会本部機構の簡素化を要求。

20日：全共闘闘争スローガン採択。①全理事総退陣　②経理の全面公開　③不当処分白紙撤回　④集会の自由を認めよ　⑤検閲制度撤廃

22日：農獣医学部スト突入を決議、バリケード構築。文理学部三島学生会スト権確立。

24日：文理学部三島校舎スト突入、バリケード構築。

25日：全共闘は法学部1号館で団交を拒否する大学当局への全学抗議集会開催、秋田議長は強い抗議の意志を表明。

26日：全11学部の闘争委員会が日本大学全学共闘会議の下に結集。

29日：日本大学教職員組合が錦華公園にて抗議集会とデモ。全理事の退陣と経理の全面公開を要求。

＊6月：ロバートケネディ暗殺（5日）

7月1日：理工学部習志野で理工系3学部の総決起集会、医学部学生委員会「学園民主化のために」を発行。

4日：経済学部で全共闘総決起集会、文理学部教授会「全理事の即時退陣」を要求。

5日：理工学部自治会学生大会でスト権確立。

8日：理工学部自治会、教授会との公開討論会の後ストライキ突入、理工学部II部、生産工学部もスト突入。

9日：東京国税局は使途不明金に対し、重加算税と延滞税11億円を徴収したと発表。

18日：第1回大衆団交の予備折衝が流会。

20日：法学部1号館で全学集会。古田会頭以下全理事出席のもとで8月4に大衆団交を行なう確約する。集会後のデモで機動隊と衝突、逮捕者多数。

21日：神田警察署に抗議のデモ、ここでも逮捕者多数。

24日：古田会頭、全共闘に大衆団交無期延期を通告。

＊7月：参議院選挙で石原慎太郎全国区トップ当選（7日）、パレスチナ人民解放戦線、エル・アル航空のボーイング707型機をハイジャック（23日）。

8月2日：三崎町で全学総決起大会、神田界隈でデモ。

12日：文理学部闘争委員会、文理学部教授会と大衆団交、学生指導委員長辞任を確約。

17日：理工学部闘争委員会、教授会と大衆団交。

24日：古田会頭、全共闘に対し、「全学生の代表と認めず、今後紛争解決の相手とせず」と発言。

25日：法学部1号館で団交拒否に対する抗議集会。そのあとのデモで機動隊と衝突。

＊8月：和田寿郎（札幌医大）による本邦初の心臓移植手術（8日）、ワルシャワ条約機構軍のチェコ侵攻（20日）。

9月1日：理工学部習志野が無期限スト突入。

2日：大学当局「20項目改善案」を発表。

3日：大学当局、9月11日からの授業再開を新聞各紙に告知。

4日：東京地検の仮処分決定に基づき、大学本部、法学部、経済学部の強制代執行。全共闘は理工学部で抗議集会。集会後法学部、経済学部を再占拠。郡山工学部闘争委員会無期限スト突入。

5日：法学部、経済学部に機動隊導入。全学抗議集会・白山通りでのデモ。津田沼の生産工学部スト突入。日本大学文化団体連合会、全理事の退陣要求。

6日：経済学部前で全学抗議集会、白山通りデモ。

7日：理工学部9号館建設予定地にて全学総決起集会。その後のデモで機動隊と衝突、検挙者多数。

8日：工学部闘争委員会、本館につづき図書館を封鎖。

9日：法学部教授会、法学部長以下6名の教授辞任と理事総退陣を決議。

10日：商学部も理事総退陣を要求。

12日：全学総決起集会7,000名参加、その後の白山通りデモで機動隊と衝突、逮捕者154名。

14日：9学部の教員からなる「教員連絡協議会」が理事総辞職を要求。
医学部学生総会スト権確立。商学部闘争委員会へ武装した右翼学生が殴り込み。

19日：医学部闘争委員会スト突入。

20日：歯学部闘争委員会スト突入。日大全11学部がストライキ体制に入る。

21日：古田会頭、全共闘に対し回答書。「学生自治活動、学生指導機関の改革」「定款改正後の全理事退陣」。これに対し全共闘は大衆団交での確認を要求。

24日：大衆団交要求全学総決起大会。本部再封鎖。

29日：神田新東京ホテルで開かれた理事会にて、事態収拾のため9月30日に大学主催の「全学集会」の開催を決め、通告してくる。仮処分強制執行の際に重傷を負った西条巡査部長が死亡。

30日：全共闘は経済学部前で1万名による全学総決起集会。両国日大講堂では学内右翼学生集団「日新会」800名による「全学集会」。全共闘行動委員会

300名による排除。学友25,000名参加の12時間におよぶ大衆団交開催。古田会頭はじめ出席理事は全共闘要求項目を認め誓約書に署名。芸術学部で武装した右翼学生50名による襲撃。2名の学友が柔道部合宿所に拉致される。芸闘委委員長による交渉で解放。

10月1日：佐藤栄作首相、閣議にて「大衆団交を政治問題として取り上げる」旨の発言。官邸内に「大学問題閣僚懇談会」を設置。

2日：古田会頭緊急理事会を開催し「9.30の大衆団交は強要されたものだとして確約を反古」、大学問題閣僚懇談会は「大衆団交のような秩序無視は許されない」との意見で一致。

3日：両国講堂での大衆団交に対する佐藤政権の介入に対する全学総決起大会教員協議会が佐藤首相に抗議。

4日：秋田議長以下8名に逮捕状。

6日：全共闘今後の方針を発表、9.30団交は有効、各学部別団交の要求など。

8日：生産工学部で共闘委員会学生と右翼学生が衝突、千葉県機動隊が出動。日本大学後援会が授業再開の要望を提出。

9日：理事会は「総退陣」を打ち出すが、時期、方法には触れず。全共闘は経済学部前で総決起集会、白山通りのデモの後「神田解放区」を作り出す。

11日：学部長会議で理事総退陣を要請。

14日：郡山工学部に右翼学生の殴り込み、バリケードに火炎瓶をなげ込む。闘争委員会に負傷者、消防車出動して鎮火。

15日：工学部闘争委員会、工学部本館を再度バリケード封鎖。

16日：工学部での火炎瓶放火事件で工学部長以下4教授が引責辞任。

25日：千代田公会堂での歯学部団交のスト解除方針に全共闘が介入。団交流会。

28日：7学部教授連合による「日本大学教授連合」が理事総退陣を要求。

31日：古田会頭9.30確約を破棄、「退陣せず」を公言。

＊10月：カネミ油症事件（11日）、メキシコオリンピック開催（12日）、川端康成ノーベル文学賞受賞（17日）、国際反戦デーで新宿駅を学生が占拠（のちに騒乱罪適用）（21日）、明治100年記念式典開催（23日）。

11月4日：パイプ、角材で武装した「関東軍」400名が芸闘委50名の死守するバリケードを襲撃。他学部からの応援部隊400名により6時間の攻防戦により「関東軍」100名を捕虜とする。全共闘は直ちに抗議集会、白山通りでのデモ。この隊列の中に大日本愛国党の街宣車が突入。

10日：日大後援会が両国講堂で「全国父兄大会」を開催。しかし当初の目論見とは異なり、大学当局への弾劾集会となる。

12日：現場検証を目的に芸術学部へ機動隊導入、抵抗の闘争委員会46名の全員逮捕。その後芸術学部闘争委員会によるバリケード再構築。

15日：全共闘「全学4年生連絡協議会」を結成、卒業延期・留年闘争を開始。

17日：秋田議長、東大全共闘山本代表が記者会見、11月22日に「日大・東大闘争勝利全国学生総決起大会」の開催発表。

22日：東大安田講堂前で「日大・東大闘争勝利全国学生総決起大会」、全国から15,000名の学生、日大からは3,000名の学生が参加。

24日：各学部での疎開授業の開始と全共闘による疎開授業阻止闘争。

25日：商学部学生大会で早期授業再開を決議

＊11月：アメリカ合衆国大統領にリチャード・ニクソンが当選（5日）、アメリカ統治下の琉球政府主席に屋良朝苗が当選（10日）、第二次佐藤改造内閣（30日）。

12月3日：永田総長名による「12月16日までに授業を再開」の通達。

6日：評議員会、寄付行為改正案を可決。

7日：右翼学生による工学部バリケードの破壊。文理学部、理工学部教授会、12月16日の授業再開に反対。法学部教職員組合、寄附行為改正案を弾劾、理事、評議員の総退陣を決議。

14日：医学部演劇部を中心に本館前での100時間ハンガーストに入る。

15日：全共闘、東大安田講堂にて報告会開催。

16日：各学部で疎開授業開始。

21日：歯学部で学部団交、生産工学部で学部団交。

23日：日大・中央大統一総決起集会。全共闘越年体制の強化を提起。

＊12月：府中市で3億円強奪事件（10日）、中国人民日報、毛沢東の“上山下郷運動”の指示（22日）。

【1969年】（昭和44年）

1月8日：文理学部疎開授業開始。

13日：医学部学生総会でスト解除動議可決、学生委員会執行部解散。

18日：東大安田講堂攻防戦。

19日：東大安田講堂陥落。東大安田講堂攻防戦の支援で神田駿河台地区に街頭バリケードを構築、カルチェ・ラタン解放区闘争。

25日：歯学部学生集会でスト解除動議を可決。

27日：生産工学部の全学科集会で「民主化推進委員会」が機動隊を待機させてバリケード撤去。歯学部闘争委員会スト続行を決議。

＊1月：東大安田講堂攻防戦（18～19日）、東大入試中止決定。駿河台明大通り

の解放区、カルチエラタン(19日)、リチャード・ニクソンがアメリカ合衆国大統領に就任(20日)。

2月1日：日大闘争救援会準備会主催の「日大・東大闘争勝利2.1報告会」全電通会館で開催。

2日：法学部、経済学部に機動隊導入、バリケード撤去。工学部でも大学、学生によるバリケード撤去。

3日：歯学部闘争委員会、学生大会でスト解除、バリケード撤去決議。

6日：商学部再度の学部集会でスト解除と授業再開決議。

9日：理工学部、芸術学部に機動隊導入、バリケード撤去。

10日：農獣医学部に機動隊導入、バリケード撤去。

12日：商学部授業再開を強行。

17日：大学当局、大学本部の封鎖を解除。

18日：文理学部に機動隊導入、バリケード撤去。

20日：理工学部習志野、バリケード撤去。

3月3日：文理学部闘争委員会、教授会と団交。

10日：文闘委、文理学部本部を再封鎖。

12日：秋田議長、潜伏先の渋谷区内で逮捕。

19日：大学当局、全学入学式中止を決定。

25日：秋田議長、獄中から「日大全共闘は不滅である」とアピール。

＊3月：中ソ国境紛争(ダマンスキー島事件)勃発(2日)、英仏共同開発のコンコルド初飛行(2日)。

4月3日：文理学部へ機動隊導入、校内をロックアウト。

5日：全共闘、文闘委、明大泉校舎で全学総決起集会。

12日：全共闘、法・経奪還闘争、お茶の水周辺を解放区にする。

21日：理工学部習志野で授業再開。

29日：郡山工学部で入学式。

＊4月：中国共産党、林彪を毛沢東の後任に指名(14日)、シャルル・ド・ゴール、フランス大統領辞任(28日)。

5月6日：理工学部で授業再開。

7日：法学部大宮校舎で入学式。

13日：文理学部府中校舎で入学式。

＊5月：三島由紀夫と東大全共闘との公開討論（13日）。

6月11日：「日大闘争バリスト1周年記念総決起集会」

23日：農闘委の集会に対し学部当局ロックアウトで対抗。

＊6月：南ベトナム臨時革命政府樹立（8日）、新宿西口広場での反戦フォーク集会に機動隊出動、ガス弾で規制（29日）。

7月3日：農獣医学部、機動隊導入で封鎖解除。

21日：農獣医学部で授業再開を強行。

＊7月：アポロ11号、人類初の月面有人着陸（20日）。

8月29日：医学部での総長選挙会場へ闘争委員会が実力粉砕行動。

＊8月：大学管理臨時措置法案参議院で強行採決（3日）。

9月3日：医学部学生総会でスト権確立。

5日：全国全共闘連合結成大会、日比谷野外音楽堂で。議長に東大全共闘山本義隆、副議長に日大全共闘、拘留中の秋田明大を選出。大会後、警視庁は山本義隆を逮捕。

8日：医学部学生総会で無期限ストを決議。

10日：理事会、古田重二良を日本大学会長に選出。

18日：医闘委、教養部プレハブ校舎占拠。

30日：全都全共闘・日大奪還闘争、お茶の水周辺の解放区闘争デモ。日大全共闘田村正敏書記長逮捕。

＊9月：リビアでカダフィが王政打倒のクーデター（1日）、ホー・チミン没（3日）、中国第1回地下核実験（23日）。

10月1日：医学部団交予備折衝。

19日：医学部当局によるロックアウト。

23日：医学部で医闘委80名による奪還闘争。

*10月：国際反戦デー、新宿中心に騒乱、逮捕者1594名（21日）。

11月5日：医闘委8名逮捕、18名に逮捕状。

7日：医学部で授業再開を強行。

15日：日大闘争救援会による市民集会、礫川公園にて。

*11月：山梨県大菩薩峠で武闘訓練中の赤軍派53名を逮捕（5日）、佐藤栄作首相訪米阻止闘争（16日）、佐藤栄作首相訪米（17日）、沖縄返還合意（21日）。

【1970年】（昭和45年）

1月17日：全学総決起大会（法政大学）。

29日：全共闘「日大全学活動者討論集会」（法政大学）。

＊1月：第三次佐藤内閣発足（14日）。

2月25日：武蔵野台駅付近でビラ配布中の全共闘行動隊に右翼学生集団が襲撃、商闘委の中村克己君重傷を負う。襲われた側の学生30名が府中警察により逮捕。

3月2日：入院中の中村克己君死去。

4日：「中村同志虐殺抗議労学市民集会」礫川公園で。

11日：「中村君虐殺弾劾・日大全共闘葬」、日比谷公会堂で。

＊3月：核拡散防止条約発効（5日）、大阪万博開幕（15日）、日本航空機よど号ハイジャック事件（31日）。

4月13日：全共闘「中村君虐殺講義・日大アウシュビッツ体制粉砕労働者・学生・市民統一行動」、礫川公園にて。

＊4月：ビートルズ解散（10日）、中国初の人工衛星打ち上げ（24日）。

5月23日：全共闘、商学部構内で「新入生・移行生歓迎集会」開催。

6月11日：「日大闘争勝利・6月決戦勝利総決起集会」、礫川公園にて。

23日：全都看学共闘に日大看護学生参加。明治公園から日比谷公園までデモ。

＊6月：日米安全保障条約自動延長（23日）。

9月2日：日大看護学院卒業論文ボイコット闘争

10月6日：看護学院学生7名の停学処分。

26日：古田重二良日大駿河台病院で死去。

＊11月：三島由紀夫市ヶ谷自衛隊にて割腹自殺（25日）。

12月23日：京浜安保共闘看護学生に退学処分

著者略歴

西成田 進　（にしなりた すすむ）

1947年（昭和22）、茨城県出身。元日本大学医学部闘争委員会書記局長、1973年（昭和48）、日本大学医学部卒業。
専門：内科学、膠原病・リウマチ学、血液学。
所属学会：日本内科学会、日本血液学会、日本リウマチ学会、日本感染症学会。前公立阿伎留医療センター院長、元日本大学医学部臨床教授。
著書：『医療問題の“怪”を解く』人間と歴史社、2014

記憶のかなたの全共闘運動

総括いまだならず

初版第一刷　2021年6月10日

著者　西成田進
発行者　佐々木久夫
装丁・デザイン　株式会社イノセンス
印刷　株式会社シナノ
発行所　株式会社人間と歴史社
〒101-0052　東京都千代田区神田小川町2-6
電話　03-5282-7181（代）/ FAX　03-5282-7180
http://www.ningen-rekishi.co.jp

ISBN 978-4-89007-217-0 C0030